JUNIOR CERTIFICATE

LESS STRESS MORE SUCCESS

GW00777540

Irish Revision
Higher Level

Regina Ryan

GILL EDUCATION

Gill Education

Ascaill Hume

An Pháirc Thiar

Baile Átha Cliath 12

www.gilleducation.ie

Is inphrionta de chuid M.H. Gill & Co. é Gill Education.

978 0 7171 4690 1

Pictiúir le Derry Dillon

Cló churadóireacht bhunaidh arna déanamh in Éirinn ag Liz White Designs

Cló churadóireacht le Carole Lynch

As cead grianghraif a atáirgeadh tá na foilsitheoirí buíoch de:
© Alamy: 8T, 12, 17B, 23, 33T, 33B, 74, 77, 84, 93, 99B, 101, 108, 110, 118, 123, 125T, 133; © Corbis: 136; © Education Photos: 125BR; © Getty Images: 7, 9T, 9B, 10T, 10CR, 10CL, 66, 70, 79, 87, 88, 91, 99T, 105, 119, 122, 125BL, 127, 129T, 129B, 134, 144; © Inpho: 18B, 18T, 63; © Press Association: 15, 32; © Photolibrary: 8B, 142; © Rex Features: 10BR, 10BL, 20, 54, 83, 92; Courtesy of Seachtain na Gaeilge: 17T; Courtesy of TG4: 17C.

Beidh na foilsitheoirí sásta socruithe cuí a dhéanamh le haon sealbhóir cóipchirt nach raibh fáil air a dhéanann teagmháil leo tar éis fhoilsiú an leabhair.

CONTENTS

Admhálacha

Ba mhaith leis na foilsitheoirí a mbuíochas a ghabháil leis na heagraíochtaí agus leis na daoine seo a leanas as cead a thabhairt dóibh ábhar atá faoi chóipcheart a atáirgeadh:

'Luath nó Mall' from *Ceol na Gealaí* by Gabriel Rosenstock, 'Subh Milis' by Seamus O'Néill and 'Faoiseamh a Gheobhadsa' by Mairtin O Direain reprinted by kind permission of Cló Iar-Chonnacht, Indreabhán, Co. na Gaillimhe. 'Pictiúr a Goideadh' from *Scoil an Chnoic* by Jacqueline de Brún reprinted by kind permission of An Gúm (Foras na Gaeilge). 'An Canaerí' by Seán Mac Fheorais. 'Cuairt' by Colette Ní Ghallchóir reprinted by kind permission of the author. 'Mac Eile ag Imeacht' by Fionnuala Uí Fhlannagáin reprinted by kind permission of the author. 'An t-Ózón' by Máire Aine Nic Ghearailt reprinted by kind permission of the author. The poem 'Reoiteog Mharfach' by Déaglán Collinge was published by Mentor Books in *Saibhreas 2*. 'An Púdal Béal Dorais' by Pilib Ó Brádaigh (2010 exam). 'Daonáireamh 1911' by Róise Ní Ghráda.

Beidh na foilsitheoirí sásta socruithe cuí a dhéanamh le haon sealbhóir cóipchirt nach raibh fáil air a dhéanann teagmháil leo tar éis fhoilsiú an leabhair.

Introduction

How to use this book

- This book is laid out in the same order as the exam paper. For example, Chapter One deals with the first part of the exam, an Chluastuiscint.
- In Chapter One you will also find a comprehensive block of vocabulary by topic. This will help in other areas of the written paper.
- Important: The list of question words in Chapter One pages 5–7 is vital for all areas of the exam.
- Each vocabulary block is completed in tables. I recommend bending back the page over the Irish words to test yourself.
- I recommend that you spend time each week learning the following areas:

    Question words (page 5–7)

    Character traits (page 10–11)

    Feelings (page 12)

    The four tenses (page 40–42).

exam focus

The optional Scrúdú Béil carries 160 marks but is not available to all students. Ask your teacher if you'd like to avail of this option.

key point

Know which parts of the exam carry most marks and give them the most time. Practise your timekeeping: you'll be up against the clock in Páipéar a Dó especially!

How the exam is marked and time management

Iomlán na marcanna = **240 marc**, idir an scrúdú scríofa agus an chluastuiscint.

Páipéar a hAon & Cluastuiscint – 150 marc

Páipéar a Dó – 90 marc

Na Marcanna:

Ceisteanna agus Am	Roinn den Pháipéar	Marcanna
Páipéar 1 & An Chluastuiscint 5 nóiméad	Léamh an Pháipéir	
C1 *30 nóiméad	An Chluastuiscint	40 marc (16%+ den Iomlán)
C2 *30 nóiméad	Léamhthuiscint x 2	40 marc (16%+ den Iomlán)
C3 *15 nóiméad	Gramadach	20 marc (8% den Iomlán)
C4 *40 nóiméad	Scríobh	50 marc (20%+ den Iomlán)

Ceisteanna agus Am	Roinn den Pháipéar	Marcanna
Páipéar 2 5 nóiméad	Léamh an Pháipéir	
C1 *15 nóiméad	Prós Liteartha	15 marc (6%+ of Total)
C2 *15 nóiméad	Prós an Dalta	15 marc (6%+ of Total)
C3 *15 nóiméad	Filíocht	15 marc (6%+ of Total
C4 *15 nóiméad	Filíocht an Dalta	15 marc (6%+ of Total)
C5 *25 nóiméad	Litir	30m (12.5% of Total)

Questions on past Junior Cert papers

Below are the titles from Ceist 1 in previous Junior Cert exams.

A = Aiste/Alt   D = Díospóireacht   S = Scéal   L = Litir (P2)

	2010	2009	2008	2007	2006	2005	2004
Ceantar		A	L				
Áiseanna					L		
Mo theach			L				
Teilifís/Scannán	A			L			
Spórt	A	L	A	D	A S	D L	D
Ceol/Damhsa/Rince				A	A A	A	L
Ceolchoirm		A					
Turas scoile							S
Saoire/Taisteal/Éire	L		S L	D	D L	L	
An Ghaeilge							A
An Ghaeltacht		L		L			
Saol na scoile	L, L,D	L	A A	A		S D A L	D L
Daoine óga	A		D	A A	D		
Turas lae				S S		S	
Timpiste/Tinneas	S				A		
Aimsir/Séasúir		S			A		
Ríomhaire/Idirlíon				L			S
Fón Póca		D			S		
Caitheamh aimsire		A				L	
Fadhbanna sóisialta	A	D					A A*
Poist/Obair		A					
Bochtanas/Carthanachtaí	A	A					
Cóisir/Ócáid speisialta	S					L	
I m'aonar sa teach/Tuistí as baile	S		S				
Pearsa Poiblí/Réalta			A		A		A
Bia/Sláinte			A			A A	
Timpeallacht			D L	A			
Breithlá/Bronntanas	S				L		L
Dá mbeinn i mo Thaoiseach: If I were Taoiseach. (Conditional mood)							A

Cluastuiscint – Listening

16%+

aims You will learn:
- The layout of this section of the exam.
- Useful tips and sample questions to help you achieve maximum marks in this section.
- Key vocabulary and phrases by topic that appear often in this section.

Exam layout

There are three **parts** A, B and C. The entire exam lasts for **thirty minutes**.

The vocabulary lists in this chapter will help you in every part of the written paper also, especially in Ceist a hAon (essay/story etc.).

Part A

- You will hear two speakers, usually young people, talk about themselves.
- You will hear each speaker **twice** with a pause after the first playing.
- Examples of all three dialects are usually included.
- Knowing the **question words** is vital here.
- You will also need a good vocabulary based on the following topics:
  the family, describing people, counting people, feelings, my area, facilities, counties, Gaeltacht towns/villages, describing the house, school, hobbies, jobs of family members.

Part B

- You will hear a notice or advertisement and a piece of news, sometimes taken from Raidió na Gaeltachta.
- The notice/ad/announcement and news piece is played **twice**.
- The ads usually feature upcoming events or new products.
- You will need to know your **question words** here.
- The following key vocabulary will be helpful in this part: sale of goods, events, numbers, dates, times, weather.

Part C

- Two conversations.
- Each conversation is played **twice** with a pause between Part 1 and Part 2 during the second reading only.
- Again understanding the **question words** is essential here.
- You will meet these topics in various parts of the exam, so it is a good idea to borrow new phrases that you hear in the Cluastuiscint to use in your written work!
- Key vocabulary that will help you here: hobbies, sport, holidays, an Ghaeltacht.

Try to stay calm and don't panic!

- **Answer all questions in IRISH**, e.g. Dé Luain = 2 marks Monday = 0 marks

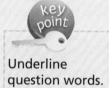

- Know the vocabulary recommended above for each part.
- Know the question words, try to learn five new ones in each revision session before the exam.

Underline question words.

- Write clearly using a pencil and if you make a mistake use an eraser.
- Do not leave a blank space. Even if you don't know the answer, guess!
- Marks are awarded in this section for showing you **understand**.
- Marks are also awarded for answers where the spelling is **almost correct**. 5 marks are for correct answers. If the spelling is not quite right, you can still get between one and four marks: e.g. muséum = 2m; museum = 0
- Try to write as much as you can in your answers – if you write a full answer, the correct word may well be included.
- If you hear a placename or something common that is long to write e.g. Baile Átha Cliath then write it in shorthand during the first playing, and complete it during the second or third playing.
- Use your time at the beginning and during the pauses wisely. Read through all Qs in each section during the pauses.
- Try to predict possible answers! Sometimes you may know the answer without even listening: e.g. Cé a bhuaigh cómórtas leadóige Wimbledon anuraidh?
- Cleachtadh a dhéanann máistreacht! Practice makes perfect! Use the sample tests and scripts included to test yourself regularly.

List of topics:

Tick these off as you study each topic.

Cluastuiscint – common question words

These **question words** need to be studied for all areas of the paper, especially Reading Comprehension (Chapter 2).

exam focus

You cannot attempt to answer if you don't understand the question.

Cad?/Céard	What?
Cé?	Who?
Cén fáth?/Cad chuige?	Why?
Tuige?	Why?/How come?
Cén áit/ceantar?	What place/area?
Cén uair/Cén t-am?	What time?
Cén sórt/saghas/cinéal?	What type?
Cár?/Cá?	Where?

Cén ceann?	Which one?
Conas?/Cén chaoi?	How?
Cá bhfios duit?	How do you know?
Cé mhéad?/An mó/An méid?	How many/much?
Cén praghas?	What price?
Cén costas?	What cost?
Cén táille?	What fee?
Cén líon?	What number? (of people)
Cá fhad?	How long?
Cé chomh fada?	How long?
Cén t-achar?	What distance/length?
Cén tír?	What country?
Cén contae?	What county?
Cén suíomh	What location?
Cén tslí?	In what way?
Cén dóigh?	In what way?
Liostaigh	List
Cén teideal?	What title?
Cén bhaint?	What connection?
Cén chúis?	What reason?
Cén spriocdháta?	What deadline?
Cé leis?	Who owns?
Cé uaidh?	From whom?
Cé acu?	Which?
Cé dó?/Cén fhadhb?	For whom? What problem?
Cén réiteach?	What solution?
Cén tréith?	What trait?
Déan cur síos ar…	Describe…
Luaigh pointe eolais.	Mention one point of information.
Cén post/jab/slí bheatha/ghairm bheatha?	What job/profession?
Cén tuairim?	What opinion?
Cén dearcadh?	What outlook?
Cén chuma?	What appearance?
Cén pá?	What pay?
Cén tuarastal?	What pay?
Cén riachtanas?	What is necessary?
Cén léiriú?	What portrayal?
Cén toradh?	What result?

Cén tubaiste?	What disaster?
Cén scil?	What skill?
Cén buntáiste?	What advantage?
Cén míbhuntáiste?	What disadvantage?
Cén gaisce/t-éacht?	What achievement?
Cén dea-scéal?	What good news?
Cén drochscéal?	What bad news?
Cén seoladh?	What launch (Leabhar/CD)?/What address?
Cén tAire?	What Minister?
Cén rud?	What thing?
Cé hí? (sí)	Who's she? (name the female)
Cé hé? (sé)	Who's he? (name the male)
Cén moladh?	What recommendation?
Cén chomhairle?	What advice?
Cén uimhir theileafóin/ghutháin?	What phone number?
Cén eagraíocht/t-eagras?	What organisation?
Cén dream/grúpa?	What group?
Cén ollscoil?	What university?
Cén comhlacht?	What company?
Cén scrúdú/triail?	What test/trial?
Cén gaol?	What relation?
Cén comórtas?	What competition?
Ainmnigh an duine/an té a…	Name the person/the person who…
Cén tseirbhís?	What service?

Foclóir

Am: Laethanta na seachtaine, míonna, an chlog.	Time: Days of week, months, the clock.
An Luan/Dé Luain	Monday
An Mháirt/Dé Máirt	Tuesday
An Chéadaoin/Dé Céadaoin	Wednesday
Déardaoin	Thursday
An Aoine/Dé hAoine	Friday
An Satharn/Dé Sathairn	Saturday
An Domhnach/Dé Domhnaigh	Sunday

Eanáir	January
Feabhra	February
Márta	March
Aibreán	April
Bealtaine	May
Meitheamh/Mí an Mheithimh	June
Iúil	July
Lúnasa	August
Meán Fómhair	September
Deireadh Fómhair	October
Samhain/Mí na Samhna	November
Nollaig	December
Thart ar a… a chlog	About… o'clock
Leathuair tar éis a…	Half past…
Ceathrú tar éis…	Quarter past…
Ceathrú chun a…	Quarter to…
Meán oíche	Midnight
Meán lae	Midday

An Aimsir	The Weather
Tá an ghrian ag scoilteadh na gcloch.	The sun is splitting the stones.
Tá sé ag stealladh báistí.	It's pouring rain.
Tá sé nimhneach fuar agus gaofar.	It's bitterly cold and windy.
Tá tintreach agus tóirneach ann.	There's thunder and lightning.
Tá stoirm ag réabadh lasmuigh.	There's a storm raging outside.
Ceathanna	Showers
Teocht is ísle/airde	Lowest/highest temperature

Sneachta/sioc/leac oighir	Snow/frost/ice
Flichshneachta	Sleet
Clocha sneachta	Hailstones
Tá tréimhsí gréine geallta.	Sunny spells are forecast.
Ceo/ceomhar	Fog/foggy
Réamhaisnéis/tuar na haimsire	Weather forecast

An Teaghlach	The Family
Athair/daid	Father/dad
Máthair/mam	Mother/mam
Deartháir	Brother
Deirfiúr	Sister
Mac	Son
Iníon	Daughter
Seanmháthair/mamó	Grandmother/granny
Seanathair/daideo	Grandfather/granddad
Garmhac/iníon	Grandson/daughter
Athair baistí/máthair bhaistí	Godfather/godmother
Is sine	Oldest
Is óige	Youngest
Lár na clainne	Middle of family
Muintir/teaghlach	Family
Ag spochadh as a chéile/ag magadh faoi	Slagging/mocking each other
Ag cur isteach orm	Annoying me
Ag argóint	Arguing
Réitím go maith le	I get on well with
Tugann sé/sí lámh chúnta dom	He/she helps me

key point

An easy way to remember the difference between *deartháir* and *deirfiúr* is F for female!

Peata	Pet
Gleoite	Cute
Cró/seid	Kennel/shed
Siúlóidí	Walks

Tréithe	Traits
Mór millteach	Huge/big
Beag bídeach	Tiny
Ollmhór	Massive
Dathúil	Good-looking
Gránna	Ugly
Tanaí	Thin
Ramhar	Fat
Grámhar	Loving
Ciallmhar/stuama	Sensible
Cairdiúil	Friendly
Deas	Nice
Suimiúil/spéisiúil	Interesting
Leadránach/leamh	Boring/dull
Ait/aisteach	Strange
Santach	Greedy
Leithleasach	Selfish
Ceanndána	Stubborn, headstrong
Teasaí	Hot tempered
Ardnósach	Snobbish

exam focus

5 C's – **C**rosta, **c**ancrach, **c**abhrach, **c**neasta agus **c**airdiúil
Cross, cranky, helpful, kind and friendly

Tuisceanach	Understanding
Éirimiúil	Talented
Glic	Sly
Cliste	Clever
Intleachtúil	Intelligent
Flaithiúil/fial	Generous
Fáiltiúil	Welcoming

Ag comhaireamh daoine	Counting people
Duine/beirt/triúr/ceathrar	One person/two people/three/four
Cúigear/seisear/seachtar/ochtar	Five people/six/seven/eight people
Naonúr	Nine people
Dáréag	Twelve people
Ní raibh duine ná deoraí…	Not a person (soul)
Scata/grúpa/dream	Group (of people)

Ag comhaireamh rudaí	Counting things
Peann amháin/dhá/trí/ceithre/cúig/sé pheann	One/two/three/four/five/six
Seacht/ocht/naoi/deich bpeann	Seven/eight/nine/ten

key point

1-6 + h
7 upwards + urú.

Na mothúcháin	Feelings
Áthas/aoibhneas/ríméad/gliondar/lúchair	Happy
Brón/díomá	Sadness/upset
Uaigneas	Loneliness
Bród/mórtas	Proud
Náire	Shame
Eagla/sceimhle/sceon/faitíos/scanradh	Fear/terror/scared
Sceitimíní	Excited
Imní	Worry
Bhí mé...	I was...
Ar bís	Anxious/excited
Neirbhíseach	Nervous
Buartha	Worried
Sona sásta Ar mhuin na muice	Happy On the pig's back!
Gruama	Gloomy
Dubhach/brónach	Depressed/sad
In ísle brí	Depressed
In umar na haimléise	In the depths of dispair
Ní raibh cíos cás ná cathú orm	There was not a bother on me

Mo cheantar	My area
Teach scoite	Detached house
Teach leathscoite	Semi-detached house
Bungaló	Bungalow
Pobal	Community
Comharsana	Neighbours
Eastát tithíochta	Housing estate
Sráidbhaile	Village
Ar imeall an bhaile	At the edge of the town
I lár an bhaile	In the centre of the town

Taobh amuigh de	Outside of
Sa cheantar máguaird	In the surrounding area
In aice láimhe	Close by
Gairdín	Garden
Síochánta ciúin iargúlta	Peaceful quiet isolated
Torann/trácht/gnóthach	Noise/traffic/busy
Suaimhneach	Peaceful
Seanaimsearha	Old-fashioned
Nua-aimseartha	Modern
Daoine cáiliúla as…	Famous people from…
Clú agus cáil ar…	Known for…
Níl aon tinteán mar do thinteán féin!	There's no place like home!

Áiseanna	Facilities	
Bialann	Restaurant	
Leabharlann	Library	Teach tábhairne, bialann agus amharclann
Pictiúrlann	Cinema	
Amharclann	Theatre	
Linn snámha	Swimming pool	
Teach tábhairne	Pub	
Ionad pobail	Community centre	
Ionad siopadóireachta	Shopping centre	
Ionad spóirt	Sport centre	
Ionad babhlála	Bowling centre	
Ospidéal	Hospital	
Stáisiún na nGardaí	Garda station	
Stáisiún traenach	Train station	
Siopaí	Shops	
Ollmhargadh	Supermarket	
Óstán	Hotel	
Halla aclaíochta	Gym	
Club óige	Youth club	

Bailte na Gaeltachta agus eile

Cúige Uladh

Dún na nGall/Tír Chonaill

Gaoth Dobhair

Rann na Feirste

Leitir Ceanainn

Oileán Thóraí

Béal Feirste

Cúige Connacht:

Conamara

An Cheathrú Rua

Gaillimh

Inis Oírr

Inis Mór

Inis Meáin

Oileáin Árann

Baile na hAbhann

Indreabhán(TG4)

Casla (RnaG)

Cúige Mumhan:

Baile Bhuirne

An Daingean

Baile an Fheirtéaraigh

Trá Lí

Oileán Chléire

Oileán na mBlascaoidí

An Rinn

Dún Garbhán

Cúige Laighean:

Baile Átha Cliath

Ráth Chairn

Scoil	School
Meánscoil	Secondary school
Scoil cailíní agus buachaillí	Boys' & girls' school
Scoil mheasctha	Mixed school
Lán cailíní	All girls
Lán buachaillí	All boys
Mór millteach	Huge big
Beag bídeach	Tiny
Atmaisféar cairdiúil	Friendly atmosphere
Tá mo chairde go léir ann	All my friends are there
Scoil chónaithe	Boarding school
Scoil phríobháideach	Private school
Sa tríú bliain	In third year
An Teastas Sóisearach	Junior Cert
Scrúdú/scrúduithe	Exam(s)
Múinteoirí cneasta cabhracha	Kind helpful teachers
Dalta(í)/scoláire/scoláirí	Student(s)
Príomhoide	Principal
Leas-phríomhoide	Vice-principal
Scoil an Ghaeilge	All-Irish school
Áiseanna den scoth	Brilliant facilities
Seomra na ríomhairí	Computer room
Seomra Gaeilge	Irish room
Áit shóisialta	Social area
Halla tionóla	Assembly hall
Seomra na múinteoirí	Staff room
Oifig an Phríomhoide	Principal's office
An chistin	The kitchen

Na hábhair	Subjects
Teanga(cha)	Language(s)
Gaeilge	Irish
Béarla	English
Fraincis	French
Gearmáinis	German
Spáinnis	Spanish
Iodáilis	Italian
Reiligiún/Creideamh	Religion
Tíos/Eacnamaíocht Bhaile	Home Economics
Eolaíocht	Science
Tíreolaíocht	Geography
Teicneolaíocht	Technology
Drámaíocht	Drama
Adhmadóireacht	Woodwork
Miotalóireacht	Metalwork
Stair	History
Ceol	Music
Mata	Maths
Polaitíocht	Politics
Oideachas Shláinte	Health Education
Corpoideachas	P.E.
Líníocht Theicniúil	Technical Drawing
Ealaín	Art

Is aoibhinn liom mo scoil mar...	I love my school because...
Múinteoir in ardghiúmar	Teacher in good humour
Caidreamh maith idir na daltaí	Good relationship between students
Réimse leathan ábhar	Wide variety of subjects
Bunaíodh an scoil sa bhliain...	The school was set up in the year...
Táim go maith chuige	I'm good at it
Bainim marcanna/grádanna maithe amach	I get good marks/grades
Tá sé fíorshuimiúil	It's really interesting
Tá na ranganna beomhar	Classes are lively
Gníomhaíochtaí seach-churaclaim	Extra-curricular activities

An Ghaeilge	Irish
Ár dteanga náisiúnta	Our national language
Mar chuid dár gcultúr	As part of our culture
Tír gan teanga tír gan anam	A country without a language is a country without a soul
Beatha teanga í a labhairt	A language lives if it's spoken
Dul chun cinn le TG4	Progress with TG4
An teanga labhartha sa Ghaeltacht	Spoken language in the Gaeltacht
Coláistí samhraidh ag dul ó neart go neart	Summer colleges going from strength to strength
Seachtain na Gaeilge i mo scoil	Seachtain na Gaeilge in my school

Croí na Teanga - It's You!
Seachtain na Gaeilge

TG4

Caitheamh Aimsire	Hobbies
Ag éisteacht le ceol	Listening to music
Ag féachaint ar an teilifís	Watching tv
Ag surfáil ar an idirlíon	Surfing the internet
Ag imirt spóirt	Playing sport
Ag seinm ceoil	Playing music
Ag imirt cluichí ríomhaire	Playing computer games

Spóirt	Sports
Rugbaí	Rugby
Haca	Hockey
Ag imirt sacair	Playing soccer
Ag imirt leadóige	Playing tennis
Ag imirt peil Ghaelach	Playing Gaelic football
Ag imirt cispheile	Playing basketball
Ag traenáil	Training
Ar fhoireann na scoile	On the school team
Leis an gclub áitiúil	With the local club
Craobh an chontae	County championship
Cluiche leathcheannais	Semi-final
Cluiche ceannais	Final
Bonn	Medal
Corn	Cup
Faoi shé déag	Under 16
Trófaí	Trophy

Ceol	Music
Ag seinm ar an ghiotár	Playing the guitar
An veidhlín	Violin
An pianó	Piano
Ceol traidisiúnta	Traditional music
Ceol clasaiceach	Classical
Popcheol	Pop
Rac-cheol	Rock
Snagcheol	Jazz
Miotal trom	Heavy metal
Ceol tíre	Country
Rithim agus gormacha	RnB

Uirlis/gléas ceoil	Musical instruments
Na drumaí	Drums
An fheadóg stáin	Tin whistle
An fheadóg mhór	Flute
Ceoltóir(í)	Musician(s)
Amhránaí/amhránaithe	Singer(s)
Ceolchoirm	Concert
Dlúthdhiosca(í)	Cd(s)
Albam	Album
Singil/amhrán	Single/song
Ceoldráma ar scoil	Musical at school
Cairteacha	Charts
Ioslódáil ón idirlíon	Download from internet
Réalta ceoil is fearr liom (See Tréithe pg 10–11)	Favourite musician (Use Traits pg 10–11)
I mbarr a réime	Top of their league/game
Thar barr/thar cionn/ar fheabhas	Excellent
Go hiontach	Wonderful
Sár-mhaith	Really good
Siamsaíocht	Entertainment
Atmaisféar leictreach	Electric atmosphere
Seó talainne	Talent show
Clár réaltachta	Reality tv show
Féile Oxegen	Oxegen festival

exam focus

Don't use 'go maith' at Higher Level.

Teilifís & raidió	TV & radio
Clár spóirt	Sport programme
Clár ceoil	Music programme
Cartún/beochan	Cartoon
Sobalchlár	Soap opera
Tráth na gCeist/Quizchlár	Quiz show
Sraithchlár	Series
Clár faisnéise	Documentary
Nuacht	News
Clár do naíonáin	Programme for infants
Clár oideachasúil	Educational programme
Scannán	Film
Clár ficsean-eolaíochta	Sci-Fi programme
Clár bleachtaireachta	Detective programme

Dea-thionchar/buntáistí/tairbhe leis an teilifís	Good influence/advantages/benefit of TV (essay topic)
Bím ag ligint mo scíthe	I'm relaxing
Is éalú é ó bhrú an tsaoil	It's an escape from pressure of life
Faighim faoiseamh	I get relief
Faighim sos	I get a break
Taitneamhach	Enjoyable
Eolas ar an bpointe boise	Instant information
Siamsaíocht réasúnta saor	Reasonably cheap entertainment
Comhluadar do na seandaoine	Company for elderly
Drochthionchar/míbhuntáistí leis an teilifís	Bad influence/disadvantages of TV
Míshláintiúil/leisciúil	Unhealthy/lazy
Súile scriosta	Eyes destroyed
Samhlaíocht na bpáistí marbh	Death of children's imagination
Foréigean	Violence
Drochshampla	Bad example
Ag déanamh aithrise ar	Imitating

Ar an Ríomhaire	The Computer
Leathanach Facebook/Twitter	Facebook/Twitter page
Ag surfáil ar an idirlíon	Surfing the internet
Ag íoslódáil	Downloading
Pictiúir/grianghraif	Pictures/photos
Leathanbhanda	Broadband
Ríomhphost	E-mail
Suíomh idirlín	Website
Eolas láithreach	Immediate info
Bulaíocht ar an idirlíon	Cyber-bullying
Clóscríobh	Typing
Ag lorg eolais	Looking for info
Cabhrú le hobair scoile	Helping with schoolwork
Ag ceannach earraí	Buying items

Poist & Obair	Jobs & Work
Múinteoir	Teacher
Feirmeoir	Farmer
Meicneoir	Mechanic
Bainisteoir	Manager
Leictreoir	Electrician
Láithreoir	Presenter
Léiritheoir	Producer
Taighdeoir	Researcher
Iriseoir	Journalist
Tuairisceoir	Reporter
Scríbhneoir	Writer
Teicneoir	Technician
Cuntasóir	Accountant
Dlíodóir	Solicitor
Innealtóir	Engineer
Siopadóir	Shopkeeper
Peileadóir	Footballer

exam focus

Most occupations end in eoir/óir/aí.

Léachtóir	Lecturer
Ceoltóir	Musician
Ealaíontóir	Artist
Feighlí leanaí	Childminder
Feidhmeannach	Executive
Garda	Policeman
Altra	Nurse
Ailtire	Architect (Don't confuse 'altra' and 'ailtire')
Ceanntálaí	Auctioneer
Tógálaí	Builder
Rúnaí	Secretary
Fear/bean gnó	Business man/woman
Amhránaí	Singer
Freastalaí	Assistant/waitress
Tréidlia	Vet
Dochtúir	Doctor
Stiúrthóir	Director

Laethanta saoire/Turas scoile	Holidays/School tour
Thugamar aghaidh ar	We headed for
An t-aerphort dubh le daoine	The airport packed with people
Bagáiste	Luggage
Paisinéirí	Passengers
Cultúr agus teanga	Culture & language
Snas ar mo chuid Fraincise/Gearmáinise/Gaeilge	Brush up on my French/German/Irish
Bualadh le muintir na háite	Meet the locals
Bia blasta agus difriúil	Tasty different food
Thugamar cuairt ar	We visited
Músaem	Museum
Caisleán	Castle
D'fhilleamar abhaile	We returned home

Na Tíortha	Countries
An Spáinn	Spain
An Ghearmáin	Germany
An Fhrainc	France
An Iodáil	Italy
Meiriceá	America
An Phortaingéil	Portugal
An Ghréig	Greece
Sasana	England
An Astráil	Australia
An Nua-Shéalainn	New Zealand

Sa Ghaeltacht	In the Ghaeltacht
Bean an tí	Woman of the house
Gaeilge a fheabhsú	Improve Irish
Ranganna agus spóirt	Classes & sports
Céilí	Dancing
Scléip is spraoi	Craic and fun
Imeachtaí cois farraige	Events by the sea
Comórtais idir thithe	Competition between houses
Siúl go dtí an coláiste	Walk to the college
Amhránaíocht	Singing
Aifreann trí Ghaeilge	Mass in Irish
Tinneas baile	Home sickness
Taitneamhach	Enjoyable
Cairde nua	New friends

Fadhbanna in Éirinn	Problems in Ireland
Tuilte/sioc crua/aimsir chrua	*Floods/hard frost/hard weather*
Dífhostaíocht	*Unemployment*
Ólachán	*Drinking*
Andúiligh drugaí	*Drug addicts*
Imirce	*Emigration*
Bochtanas	*Poverty*
Daoine gan dideán	*Homeless people*

An scrúdú cluastuisceana

Dialects

 Rian 1

We're going to begin by getting to know the three dialects of Irish: **Munster, Connacht and Ulster**.

Numbers

- **The answer to a question is sometimes a number.**
- Listen carefully to 'naoi' – nine, 'náid' – zero/nought and 'fiche' – twenty. Sometimes 'scór' will be used instead of 'fiche'.
- Be careful also with 'míle' – a thousand or a mile, and 'milliún' – a million.
- The word for two things is 'dhá'. This sounds like 'yawh' in Ulster Irish and like 'gaw' in Munster Irish!
- You may also hear the word 'dea' for 'good'. For example, 'dea-aimsir' – good weather, 'dea-thionchar' – good influence.

 Rian 2

Examples of common vocabulary in dialects

- The word 'leabhar' in Munster and Connacht sounds like 'lewer' in Ulster.
- In Connacht 'ag breathnú' is used instead of 'ag féachaint'. For example, 'Bhí mé ag breathnú ar *Glee* ar an teilifís.' In Ulster 'ag amharc' is used. For example, 'Ní raibh Seán ag amharc ar an mbóthar'.
- In Ulster the word 'deartháir' is pronounced as it's written: 'daar haar'. In Munster and Connacht 'drethár' is said instead.
- In Munster 'gach' is used for 'every'. In Ulster 'achan' is used instead, for example 'achan lá, achan duine'. In Connacht, 'chuile' is said, for example, 'chuile dhuine'.
- The word 'also' is 'fosta' in Ulster, 'freisin' in Connacht and 'chomh maith' in Munster. For example, 'Beidh mo dheirfiúr ann fosta/freisin/chomh maith'.

- 'Ach' is not pronounced at the end of words in Ulster, for example, '**amára**ch', as opposed to 'amár**ach**', '**ionta**ch' as opposed to 'iont**ach**'.
- The word 'Gaeilge' is 'Gaeilig' in Ulster, and 'Gaelainn' in Munster.

1. 2010 listening comprehension

Listen to the 2010 Listening Comprehension and answer the questions below.

Listen again for the answers you didn't get the first time!

Then check your answers against those in bold in the CD script at the end of the chapter.

There are two marks for each question.

> **key point**
>
> Familiarise yourself with layout/tips on page 1 before you attempt the exercise.

Cuid A

Cloisfidh tú giota cainte ó bheirt daoine óga sa chuid seo. Cloisfidh tú gach giota díobh **faoi dhó**.

Beidh sos tar éis gach píosa a chloisfidh tú chun seans a thabhairt duit na ceisteanna a bhaineann le gach giota cainte a fhreagairt. Éist go cúramach leis na giotaí cainte agus líon isteach an t-eolas atá á lorg sna greillí ag **1** agus **2** thíos.

1. An chéad chainteoir

 Rian 3

Ainm	Nuala Ní Fhlatharta
Cad as do Nuala?	
Cén scoil a bhfuil Nuala ag freastal uirthi?	
Luaigh dhá ábhar scoile a thaitníonn le Nuala.	(i) (ii)
Cad a deir a máthair faoi Nuala agus a cuid cócaireachta?	

2. An dara cainteoir

 Rian 4

Ainm	Aindréas Ó Colla
Cár rugadh Aindréas?	
Breac síos dhá phointe eolais faoi athair Aindréas.	(i) (ii)
Cén aois a bhí Aindréas nuair a tháinig sé go hÉirinn?	

Cuid B

Cloisfidh tú fógra agus píosa nuachta sa chuid seo. Cloisfidh tú gach ceann díobh **faoi dhó**.

Éist go cúramach leo. Beidh sos tar éis gach cinn chun seans a thabhairt duit na ceisteanna a ghabhann le gach ceann acu a fhreagairt.

1. Fógra *Rian 5*

(a) Cén t-ainm atá ar an iris Ghaeilge idirlín a luaitear san fhógra?

_____

(b) Cé mhéad a chosnaíonn síntiús bliana?

_____

(c) Luaigh **dhá** ábhar/thopaic a bhíonn ar fáil san iris.

_____

2. Píosa nuachta *Rian 6*

(a) Cén fhéile a bheidh ar siúl in Montana i mbliana?

_____

(b) Luaigh **dhá** rud a mbíonn béim orthu le linn na féile.

_____

Cuid C

Cloisfidh tú **dhá** chomhrá sa chuid seo. Cloisfidh tú gach comhrá díobh **faoi dhó**. Cloisfidh tú an comhrá ó thosach deireadh an chéad uair. Ansin cloisfidh tú ina **dhá** mhír é an dara huair. Beidh sos tar éis gach míre díobh chun seans a thabhairt duit an cheist a bhaineann leis an mír sin a fhreagairt.

1. Comhrá a haon *Rian 7*

An chéad mhír

(a) Cén fáth ar chuir Brian glaoch ar Shiún?

_____

An dara mír

(b) Cén t-óstán ina mbeidh an ócáid a luaigh Brian le Siún?

_____

(c) Cén t-am a shocraigh Siún bualadh le Brian?

_____

2. Comhrá a dó

 Rian 8

An chéad mhír

(a) Luaigh bua **amháin** atá ag Evanna Lynch agus Matthew Lewis, dar le Máire agus Bríd.

_____

An dara mír

(b) Breac síos tréith **amháin** a deir Máire atá ag Jack, buachaill nua Amanda.

_____

(c) Cá mbeidh Bríd ag dul le Jack?

_____

2. Sample listening comprehension

Listen to the following sample listening test and try to complete the answers in the spaces below. Then check your answers against those in bold in the script provided at end of the chapter – pages 32–34. Go n-éirí an t-ádh libh! Good Luck!

exam focus

Remember, always write something down. If you're finding listening difficult keep listening and use the scripts provided and you will definitely improve.

Cuid A

An chéad chainteoir: Siún Ní Neachtáin   Rian 9

1. An áit a mbeidh Siún ag dul _____

2. Rud amháin a cheapann sí faoi Joe Canning _____

3. An rud ba mhaith léi tógáil abhaile: _____

An dara cainteoir: Órla Ní Shé ⬤ *Rian 10*

1. Cén scrúdú a bheidh ar siúl aici? _____

2. An chúis a mbeidh an Ghaeilge furasta di: _____

3. Dhá thréith a bhaineann le Finn:

    (i) _____

    (ii) _____

4. Cén sórt cláir a thaitníonn léi? _____

Cuid B

Fógra ⬤ *Rian 11*

1. Cá bhfuil an siopa? _____

2. Pointe amháin faoi na ríomhairí: _____

3. Cad a thugtar saor in aisce leis an ríomhaire?

    _____

Píosa nuachta ⬤ *Rian 12*

1. Ainmnigh dhá rud a goideadh: _____

2. Má tá eolas agat cad ba cheart a dhéanamh? _____

Cuid C

Comhrá a haon ⬤ *Rian 13*
An chéad mhír

1. Cad a chuir Seán thuas ar an idirlíon? _____

2. Dhá phointe eolais faoin ardán: _____

An dara mír

1. Cén chúis a bhfuil áthas ar Zara? _____

Comhrá a dó

Rian 14

An chéad mhír

1. Cad a dúirt Mamaí Shorcha fúithi ar maidin?_____

2. Cad a bheidh ar siúl oíche amárach? _____

An dara mír

1. Cad a tharla do Sheán agus Thomás tar éis an troda? _____

Transcripts and solutions for Chapter 1

1. 2010 Cluastuiscint script: answers in bold

Cuid A

An chéad chainteoir

Rian 3

Cén chaoi a bhfuil sibh?

Is mise Nuala Ní Fhlatharta as Ros Muc, Conamara, Contae na Gaillimhe.

Táim ag freastal **ar Scoil an Phiarsaigh**.

Taitníonn **an Ghaeilge** agus **an Mhatamaitic** thar cionn liom.

Ach ná luaigh an Eacnamaíocht Bhaile liom.

Ní mhaith liom Eacnamaíocht Bhaile **mar táim go dona ag an gcócaireacht**.

Deir mam **nach féidir liom ubh, fiú, a bheiriú i gceart**.

An dara cainteoir

Rian 4

Goidé mar atá sibh?

Aindréas Ó Colla is ainm dom.

Rugadh **i bPáras** mé.

Is **múinteoirí ealaíne sa phobalscoil** áitiúil iad mo thuismitheoirí.

Chaith m'athair fiche bliain ag obair i bPáras.

Sin an áit ar **chas sé ar mo Mham**.

Bhí mé **seacht mbliana d'aois** nuair a tháining mé go hÉireann.

Cuid B

Fógra

Rian 5

Tá iris Ghaeilge idirlín nua ar fáil anois ar an ngréasán ag www.nosmag.com.

Nós an t-anim atá ar an iris nua.

Cosnaíonn síntiús bliana **€40**.

Bíonn rogha leathan ábhar agus topaicí ar fáil san iris: **cúrsaí ceoil**, **cúrsaí taistil**, **cúrsaí scannán agus cúrsaí faisin**.

Ceannaigh síntiús bliana duit féin inniu.

Píosa nuachta

Rian 6

Beidh **Seachtain na Gaeilge** ar siúl in Montana i mbliana.

Tá pobal láidir Éireannach ina gcónaí ann.

Tugann Seachtain na Gaeilge deis dóibh bualadh le chéile.

Bíonn béim ar **an teanga**, ar an **gceol traidisiúnta**, ar an **drámaíocht** agus ar **litríocht na hÉireann**.

Beidh an píobaire cáiliúil, Eoin Duignan, i láthair ag an bhféile i mbliana.

Cuid C

Cómhrá a haon

Rian 7

An chéad mhír

Brian: Brian anseo. An bhféadfainn labhairt le Siún, le do thoil?

Siún: Siún ag caint leat, a Bhriain.

Brian: An mbeadh spéis agat, a Shiún, **dul chuig an seó faisin** san oíche amárach?

Siún: Ba bhreá liom dul ann.

An dara mír

Siún: Cá mbeidh an seó faisin ar siúl, a Bhriain?

Brian: **In Óstán an Rí**. Tá dhá thicéad agam.

Siún: Cén t-am a bheidh an seó ar siúl?

Brian: Tosóidh sé ar a hocht a chlog.

Siún: Buailfidh mé leat taobh amuigh den óstán ag **leath i ndiaidh a seacht**.

Brian: Togha, a Shiún. Chífidh mé ansin thú. Slán tamall.

Siún: Go raibh maith agat, a Bhriain.

Cómhrá a dó

Rian 8

An chéad mhír

Máire: Bhí an scannán sin ar fheabhas, a Bhríd.

Bríd: Shíl mé go raibh Evanna Lynch an-mhaith.

Máire: Bhí. Ach bhí mise an-tógtha le Matthew Lewis.

Bríd: Is réaltaí móra iad, cinnte. **Tá bua na haisteoireachta acu**.

Máire: Tá, agus **bua na dathúlachta** fosta.

An dara mír

Bríd: Ós ag caint faoi dhathúlacht atáimid, an bhfaca tú Jack, buachaill nua Amanda?

Máire: Chonaic. **Tá sé dathúil** ceart go leor ach **is sórt amadáin é**.

Bríd: Cogar! Beidh mise **ag dul go dtí an Debs le Jack**.

Máire: An bhfuil a fhios ag Amanda faoi sin? Rachaidh sí le báiní.

Bríd: Is cuma liom. Ní bhaineann sé léi.

2. 2010 Cluastuiscint answers

Cuid A

1. An chéad chainteoir   Rian 3

Nuala Ni Fhlatharta

Cad as do Nuala? Ros Muc/Conamara/Co na Gaillimhe/Gaillimh

Cén scoil? Scoil an Phiarsaigh/an Phiarsaigh/Fearsaigh *

*Phonetically close to answer, so was accepted here.

Dhá ábhar scoile: Gaeilge/An Ghaeilge/Mata/An Mhatamaitic

Cad a deir máthair Nuala faoina cócaireacht?

Nach féidir léi fiú ubh a bheiriú i gceart/nach féidir léi ubh a bheiriú/go bhfuil sí go dona ag an gcócaireacht/go dona/uafásach/níl sí go maith/nach bhfuil sí go maith ag an gcócaireacht.

2. An dara cainteoir   Rian 4

Aindréas Ó Colla

Cár rugadh A? Rugadh A i bPáras/Páras/i bPáras/sa Fhrainc/Paris

Dhá phointe faoina athair: Is múinteoir ealaíne é/Is múinteoir é/Múinteoir/múineann sé/Is múinteoir ealaíne é sa phobalscoil/Chaith sé 20 bliain sa Fhrainc/Bhí sé ag obair i bPáras. Chas sé ar mháthair A i bPáras/Chas sé ar mham A ansin.

Cén aois? Bhí sé seacht mbliana d'aois/7 mbl/7

Cuid B

Fógra   Rian 5

1. (a) **Cén t-ainm?** Nós/Nósmag/Nosmag.com
    (b) **Cá mhéad?**
        Cosnaíonn síntiús bliana daichead euro/ceathracha euro/€40/40
    (c) **Dhá ábhar?** 1+1=2
        - Cúrsaí ceoil/ceol
        - Cúrsaí taistil/taisteal/
        - Cúrsaí scannáin/scannáin/scannánaíocht
        - Cúrsaí faisin/faisean

Píosa nuachta   Rian 6

(a) **Cén fhéile?** Seachtain na Gaeilge/SnaG

(b) **Dhá rud?** (1+1=2)

- An teanga/Gaeilge
- Ceol traidisiúnta/ceol
- Litríocht na hÉireann/litríocht

Cuid C

Cómhrá a haon   Rian 7

(a) **Cén fáth ar chuir B glao ar S?**

Chun dul chuig seó faisin leis.

Bhí seó faisin ar siúl

Seó faisin

Thug B cuireadh do S dul chuig seó faisin.

Ba mhaith leis dul chuig seó faisin le S.

(b) **Cén t-óstán?** Óstán an Rí

An Rí

(c) **Cén t-am?** Leath i ndiaidh a seacht/7.30/leathuair tar éis a seacht

Cómhrá a dó   Rian 8

(a) **Bua amháin?** Bua na haisteoireachta/aisteoireacht/aisteoir
bua na dathúlachta/dathúlacht/dathúil

(b) **Tréith amháin?**

Tá Jack dathúil/dathúil

Is sórt amadáin é/amadán

(c) **Cá mbeidh Bríd ag dul le Jack?**

Go dtí an Debs/na Debs/Debs

Sample Listening Comprehension script

Cuid A

An chéad chainteoir   Rian 9

Cén chaoi a bhfuil sibh? Siún Ní Neachtáin ag
caint libh. Tá sceitimíní orm mar beidh mé ag
dul go **Páirc an Chrócaigh** amárach go cluiche
ceannais na hÉireann san iománíocht. Beidh
m'fhoireann, Gaillimh, ag imirt sa chluiche in

aghaidh Thiobraid Árann. Tá mé ag súil go mór le **mo laoch spóirt**, Joe Canning, a fheiceáil. **Ní féidir é a shárú**. Tá súil agam go mbeidh an bua againn agus go dtabharfaimid **Corn Liam Mhic Cárthaigh** abhaile linn. Gaillimh abú!

An dara cainteoir *Rian 10*

Órla Ní Shé ag labhairt libh. Goidé mar atá sibh? Tá mé iontach neirbhíseach na laethanta seo mar tá scrúdú an **Teastais Shóisearaigh** ar leac an dorais. Tá an-imní orm faoin Eolaíocht. Ní bhfuair mé ach grád D sa bhréagscrúdú. Le cúnamh Dé beidh an Ghaeilge furasta mar **cónaím i gceantar Gaeltachta** Rann na Feirste, i dTír Chonaill. **Tá an Ghaeilge líofa agam**. Nuair a fhaighim an tseans bím ag amharc ar an teilifís. Is é **an ceoldráma** *Glee* an clár is fearr. Is breá liom Finn mar tá sé **dóighiúil agus iontach deas**.

Cuid B

Fógra *Rian 11*

Tá ríomhairí glúine ar díol ar leathphraghas i siopa ríomhairí Uí Bhriain **i lár an bhaile**. **Ríomhairí úr nua is ea iad agus tá na bogearraí ag dul leo**. Tá an tairiscint speisialta ar fáil má cheannaítear an ríomhaire roimh dheireadh na seachtaine. Cuirfear **nasc idirlín leathanbhanda** saor in aisce isteach. Bígí ann!

Píosa nuachta *Rian 12*

Tá na gardaí ó Bhéal an Átha ag lorg eolais faoi robáil sa cheantar. Briseadh isteach i seacht dteach an tseachtain seo caite. Goideadh **seodra**, **airgead agus ríomhairí**. Tá na gardaí ag lorg fear atá timpeall fiche bliain d'aois agus a bhfuil gruaig fhionn air. Sé troithe ar airde atá sé, agus bhí sé ag tiomáint BMW dubh.

Má fheiceann tú an fear sin nó má chonaic tú aon ní as an ngnáth, cuir **scairt ar na Gardaí chomh luath agus is féidir ag 098 78564442**.

Go raibh maith agaibh.

Cuid C

Comhrá a haon 'Ceolchoirm' *Rian 13*
An chéad mhír

Zara: Haigh, a Shíle, an raibh tú ag féachaint ar do leathanach Facebook le déanaí? Chuir Seán suas **na grianghraif ó cheolchoirm Usher**. Tá siad ar fheabhas.

Síle: Ó, sea, chonaic mé iad. Tá pictiúr amháin an-ghar don ardán. Ó a Zara, nach bhfuil Usher an-dathúil ar fad agus na hamhráin a chan sé, bhí siad sármhaith.

Zara: Tá, go deimhin. Tar éis na ceolchoirme d'íoslódáil mé a albam ón idirlíon. Tá gach amhrán go hiontach. Cad a cheap tú faoin ardán?

Síle: Bhí sé thar barr. Bhí an radharc ar Usher an-mhaith mar bhí dhá scáileán mhóra in aice an ardáin.

An dara mír

Síle: Ar chuala tú an drochscéal faoi Liam?

Zara: Níor chuala. Cad a tharla?

Síle: Ó Liam bocht! Bhris Réiltín suas le Liam ag an gceolchoirm agus bhí sé croíbhriste, bhí sé an-cheanúil ar Réiltín.

Zara: An leaid bocht! Bhuel, ní drochscéal domsa é sin. **Is aoibhinn liom Liam! Tá seans agam leis anois!**

Síle: Go n-éirí leat, a Zara!

Zara: Go raibh míle, a Shíle!

Comhrá a dó 'Trioblóid ar scoil'   *Rian 14*

An chéad mhír

Mícheál: Haigh, a Shorcha, cá raibh tú inniu? Ní fhaca mé thú ag an rang ceoil.

Sorcha: Bhí mé go dona tinn. Duirt Maim **go raibh dath an bháis orm** ar maidin agus bhí mé ag cur amach.

Mícheál: An bhfuil biseach ort anois, a Shorcha?

Sorcha: Táim ar mhuin na muice anois, buíochas le Dia, mar beidh an **dioscó** ar siúl oíche amárach. Ar tharla aon rud spéisiúil ar scoil?

Mícheál: Fan go gcloisfidh tú. Bhí beirt bhuachaillí ag troid i gclós na scoile taobh thiar den halla spóirt. Ag am lóin. Bhris Tomás srón Sheáin.

An dara mír

Sorcha: A thiarcais, an raibh a fhios ag an bpríomhoide An tUasal Ó Cancrach?

Mícheál: Bhí agus bhí sé ar deargbhuile. **Cuireadh Seán bocht go dtí an t-ospidéal agus cuireadh Tomás ar fionraí** go dtí an Mháirt.

Sorcha: Bhuel, is amadáin chríochnaithe iad. Níor mhaith liom bheith i dtrioblóid leis an bpríomhoide. Déarfainn go bhfuil sé an-chrosta.

Mícheál: Sea, ach tá sé fearáilte freisin, tá an-mheas ag na daltaí air. Feicfidh mé thú maidin amárach.

Sorcha: Feicfidh mé thú ag an tionól ar maidin. Slán go fóill, a Mhíchíl.

2 Léamhthuiscint & Gramadach 25%

Léamhthuiscint

Exam layout

- This section is called **Roinn II Léamhthuiscint** on Páipéar I.
- Two reading comprehensions A & B, worth 20 marks each, must be answered.

> **exam focus**
> This section is also relevant for the reading comprehension on Páipéar II about the prose and poetry.

- Each comprehension section has **five questions**.
- Each comprehension consists of four to five paragraphs.
- The **first three questions** are broken into smaller **questions (a) and (b).**
- Questions (iv) and (v) are different from the previous questions.
- An example of a question posed is: **Cén t-alt sa sliocht thuas a dtagraíonn an abairt seo a leanas dó?** (Which paragraph in the above passage does the following sentence refer to?) See the sample reading comprehension on page 38.
  - The sentence will be a summary of the main ideas contained in one of the paragraphs. Students must match the sentence to the relevant paragraph. Each paragraph will be written on the paper with a box to tick beside it. This must be completed in the student's exam script.

- Study and **know all the question words** (see table on page 37 and pages 5–7 for basic question words).

Underline question words.

- Try to learn **five new words** in each revision period before the exam.

- Read all questions carefully. Attempt **all questions.**

- Read title carefully and look at picture(s) to help you understand the text.

- In Léamhthuiscint B in question (iv) and (v) be sure to select one of the paragraphs. Even **if you don't know, guess**! No answer = No marks!

- Sometimes you're told which paragraph the answer is in! Sometimes Q (i) corresponds with Paragraph (i).

- The first time you read the text **underline/highlight main points** e.g. placenames, dates etc.

- It is not necessary to understand every word.

  When asked to give two points/reasons/examples use the following structure:

  Dhá phointe faoi X ná...

  (i) ... agus

  (ii) ...

Practise, practise, practise!
Test yourself with the sample tests included.

- Many of the questions deal with the **traits and characteristics** of people in the text. See list on page 10 'Describing People – Tréithe'.

- You may sometimes need **to give your own opinion**, so make sure you are familiar with phrases such as 'Is é mo thuairim,' 'Ceapaim,' See page 60.

- Most of the marks in this question (about 90%) are for your ability to understand the text, and therefore some sentences or phrases may be copied directly from the passage. **But do not copy too much** from the text or you will lose marks.

Léamhthuiscint – common question words

Ainmnigh an duine/an té a...	Name the person/the person who...
Cén tslí bheatha?	What job?
Cén bhaint?	What connection/association?
Luaigh	Mention
Tabhair **dhá** shampla.	Give **two** examples.
Tabhair **dhá** phointe eolais.	Give **two** points of info.
Tabhair **dhá** chúis/fháth.	Give **two** reasons.
Tabhair sampla/cúis/pointe **amháin**	Give **one** example/reason/point.
Cén aidhm?	What aim?
Cén t-eolas?	What info?
Déan cur síos ar...	Describe...
Mínigh	Explain
Cé mhéad/Cén méid?	How many/What amount?
Breac síos	Jot down
Ainmnigh bua/laige amháin.	Name one strength/weakness.
Cén fhianaise?	What evidence?
Cad a chruthaíonn?	What proves?
Cén tionchar?	What influence?
Cén chomhairle?	What advice?
Cad a bhí cearr/mícheart?	What was wrong?
Cén buntáiste/míbhuntáiste?	What advantage/disadvantage?
Cén suíomh/Cad iad na suíomhanna?	What situation(s)/location(s)?
Cén fhadhb/Cad iad na fadhbanna?	What problem(s)?
Cén comhartha/na comharthaí?	What sign(s)?
Luaigh difríocht/codarsnacht	Mention a difference/contrast
Luaigh cosúlacht	Mention a similarity

Sample léamhthuiscint

Roinn II Léamhthuiscint

B (20 marc)

Léigh an píosa iriseoireachta seo (bunaithe ar ailt sna nuachtáin) agus freagair na ceisteanna a ghabhann leis.

Bliain is fiche ag fás

1. Tá breis agus ceithre chéad clár de Na Simpsons déanta ag Stiúideo Fox ó chonacthas den chéad uair iad ar an teilifís, ar an Tracy Ullman Show i Meiriceá, sa bhliain 1987. Bronnadh trí Ghradam Emmy is fiche ar an gclár le linn an ama sin. Shílfeá faoin am seo go mbeadh a rás rite ag Na Simpsons agus go mbeadh an lámh in uachtar anois ag cláir scigaithrise ar nós *South Park*, *Family Guy* agus *American Dad*. Ní mar a shíltear a bhítear, áfach. Tá Na Simpsons i mbarr a réime go fóill agus iad ag dul ó neart go neart.

2. Anuraidh rinne Stiúideo Fox an chéad fhadscannán de Na Simpsons, *The Simpsons Movie*. Truailliú na timpeallachta is téama don scannán. Tugann sé seo deis do Lisa ról an laoich a ghlacadh chuici féin fad agus a bhíonn Homer ag teacht salach uirthi lena iompar míshóisialta. Is é an laige is mó atá ar an scannán ná an ról imeallach atá ag Bart sna himeachtaí. Tá an greann sa scannán fite fuaite rómhór in iompar seafóideach Homer ach sa tsraith theilifíse bíonn rascalacht Bhart ina cuid lárnach den ghiúmar.

3. Cónaíonn Na Simpsons in Springfield. Ach meas tú cá bhfuil Springfield? Tá ar a laghad seachtó baile a bhfuil an t-ainm Springfield orthu i Stáit Aontaithe Mheiriceá. Ós rud é go gcónaíonn go leor Éireannach in Springfield, Massachusetts, ceapann siadsan gur leo féin Na Simpsons. Tá an tuairim eile ann, áfach, gurb é Springfield, Oregon, áit dúchais Na Simpsons. Is ansin in Oregon a rugadh Matt Groening, an fear a chuir tús leis Na Simpsons bliain is fiche ó shin.

4. Deirtear faoi na sobalchláir nó na gallúntraithe gur scátháin iad ina bhfeictear íomhánna den saol réalaíoch agus ar an mbonn sin meallann siad lucht féachana dílis chucu féin. Baineann na tréithe céanna le cláir scigaithrise ar nós Na Simpsons. Déanann na cláir scigaithrise mugadh magadh den chur i gcéill a bhaineann le hiompar daoine agus ní thagann duine ná institiúid slán uathu. Bímid ag féachaint ar an scáileán agus, i ngan fhios dúinn féin, bímid ag briseadh ár gcroí ag gáire fúinn féin. Is sláintiúla go mór sinn dá bharr.

Ceisteanna (iad ar cómharc)

(i) (a) Cé mhéad Gradam Emmy atá buaite ag Na Simpsons go dtí seo?

(b) Ainmnigh na cláir a bhíonn in iomaíocht leis Na Simpsons anois.

(ii) (a) Cén téama atá sa scannán *The Simpsons Movie*?

(b) Breac síos laige amháin a luaitear leis *The Simpsons Movie*.

(iii) (a) Luaigh an chúis a meallann sobalchláir lucht féachana dílis chucu féin.

(b) Cén aidhm a bhíonn ag cláir scigaithrise ar nós Na Simpsons?

(iv) Cén t-alt sa sliocht thuas a dtagraíonn an abairt seo a leanas dó?

'Is deacair a rá cá bhfuil Na Simpsons suite.'

Alt 1 ⬡   Alt 2 ⬡   Alt 3 ⬡   Alt 4 ⬡

(v) Cén t-alt sa sliocht thuas a dtagraíonn an abairt seo a leanas dó?

'Léiríonn an scríbhneoir díomá áirithe maidir leis an scannán faoi Na Simpsons.'

Alt 1 ⬡   Alt 2 ⬡   Alt 3 ⬡   Alt 4 ⬡

See page 56 for sample answers.

Gramadach

Exam layout

- This section is called Roinn III Trialacha Teanga Comhthéacsúla.
- Ceist A examines the four tenses:
  - An aimsir chaite – past tense
  - An aimsir láithreach – present tense
  - An aimsir fháistineach – future tense
  - An modh coinníollach – conditional mood.
- Ceist B examines general grammar points, such as prepositions, counting in Irish, genitive case of nouns etc.

> **exam focus**
>
> Text may be in any of the four tenses listed and the student must rewrite five verbs that are underlined from the text in one of the other tenses.
>
> As an example, the first verb is done for you in the first sentence.
>
> **Know the four tenses very well.**

Attempt all Qs, if you don't know, **guess**! No answer = no marks.

Know what verbs change to in indirect speech in each tense, e.g. when verb is followed by the word **'that'** changes are made in each tense (see below).

Be sure to revise rules and **apply** the rules when answering the questions.

An Briathar Saor (BS). No person involved but action is performed. Drop *h* or *d'*. Learn the endings in each tense in tables on page 40.

An aimsir chaite – past tense

Recap of rules

- Add H to start of verb (except after LNR and Sc)
- Add D' before all verbs beginning with a vowel.
- Add D' to verbs beginning with F.
- Plural endings for short verbs are amar/eamar:

ELEANOR (LNR) hates the séimhiú!

Or, write verb stem with 'h', followed by 'muid'

Leathan (aou) short	Caol (ie) short	Leathan long aigh/ail/ain	Caol long igh/il/in
Fan *to stay*	Cuir *to put*	Tosaigh *to start*	Mínigh *to explain*
D'fhan**amar**	Chuir**eamar**	Thos**aíomar**	Mhín**íomar**
D'fhan mé/tú/sé/ sibh/siad	**Chuir** mé tú/sé/ sibh/siad	**Thosaigh** mé/tú/ sé/sí/sibh/siad	**Mhínigh** é/tú/sé/sí/sibh/siad
BS: Fan**adh**	BS: Cuir**eadh**	BS: Tos**aíodh**	BS: Mín**íodh**

- To ask a question use Ar + h in verb (Ar **c**huir?)
- To write in negative (I do not) use Níor + h, e.g. Níor **f**han mé sa leaba.

Drop the d' in questions, e.g. Ar fhan tú sa leaba ar maidin inné? D'fhan.

Learn the 11 irregular verbs by heart in the Aimsir Chaite, page 44.

Top ten verbs in an aimsir chaite for the scéal

dhúisigh mé

d'éirigh mé

d'ith mé

rith mé

thóg mé

fuair mé

bhuail mé le

cheannaigh mé

chuaigh mé go

dúirt mé le

An aimsir láithreach – present tense

Recap of rules

Don't use 'mé': learn endings from table below.

Leathan (aou) short	Caol (ie) short	Leathan long aigh/ail/ain	Caol long igh/il/in
Fan *to stay*	Cuir *to put*	Tosaigh *to start*	Mínigh *to explain*
Fan**aim (mé)**	Cuir**im**	Tos**aím**	Mín**ím**
Fan**ann** tú/sé/sí/ sibh/siad	Cuir**eann** tú/sé/sí/ sibh/siad	Tos**aíonn** tú/sé/sí/ sibh/siad	Mín**íonn** tú/sé/sí/ sibh/siad
Plural – Fanaimid	Cuirimid	Tosaímid	Mínímid
BS: Fantar	BS: Cuir**tear**	BS: Tos**aítear**	BS: Mín**ítear**

- To make a question: An + urú? (see urú page 48) e.g. An **bh**fanann tú sa leaba gach maidin Sathairn?
- To write in negative: Ní + h. e.g. Ní **fh**anaim sa leaba.
- Learn all 11 irregular verbs below on page 44 in the AL

Top ten verbs in aimsir láithreach for aiste/alt/díospóireacht (chapter 3)

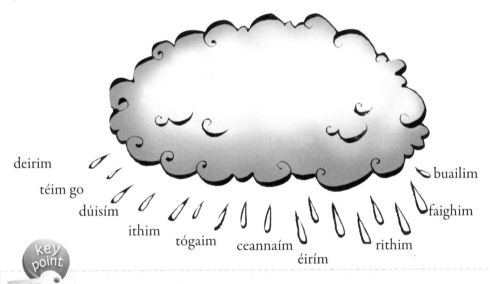

deirim

téim go

dúisím

ithim

tógaim

ceannaím

éirím

rithim

faighim

buailim

key point

- Don't forget there's no word for **that** as Gaeilge, use go bhfuil/go raibh/go mbeidh/go mbeadh.
- to be = bí
- Ceapaim: go bhfuil (an aimsir láithreach)
             go raibh (an aimsir chaite)
             go mbeidh (an aimsir fháistineach)
- **That:**
  An aimsir chaite = gur + verb
  An aimsir láithreach = go + verb
  An aimsir fháistineach = go + verb

An aimsir fháistineach – future tense
Recap of rules

F for future!

Leathan (aou) short	Caol (ie) short	Leathan long aigh/ail/ain	Caol long igh/il/in
Fan *to stay*	Cuir *to put*	Tosaigh *to start*	Mínigh *to explain*
Fan**faidh mé** tú/sé/sí/sibh/siad	Cuir**fidh** mé/tú/sé/sí/sibh/siad	Tos**óidh** mé/tú/sé/sí/sibh/siad	Mín**eóidh** mé/tú/sé/sí/sibh/siad
Plural – Fan**faimid**	Cuir**fimid**	Tos**óimid**	Mín**eóimid**
BS: Fan**far**	BS: Cuir**fear**	BS: Tos**ófar**	BS: Mín**eófar**

Learn endings from table below.

- To make a question, use 'an' + 'urú' (see urú page 48) e.g. An **bh**fanfaidh tú sa leaba Dé Sathairn seo chugainn?
- To write in negative: Ní + h e.g. Ní **fh**anfaidh mé sa leaba.
- Learn all 11 irregular verbs on page 44 in the AF.

Some handy phrases in an aimsir fháistineach for litir

Tá súil agam go bhfeicfidh mé go luath thú – *I hope I see you soon.*

Fillfidh mé abhaile an tseachtain seo chugainn – *I'll return home next week.*

Le cúnamh Dé, beidh an aimsir linn! – *Please God the weather will be good.*

Caithfidh mé dul anois agus staidéar a dhéanamh – *I have to go now to study.*

Cuirfidh me glao ort – *I'll call you.*

An modh coinníollach – conditional mood
Recap of rules

Add H to start of verb (except after LNR and Sc)

Add D' before all verbs beginning with a vowel.

Add D' to verbs beginning with F

key point

- Each person has a different ending in this tense.
- Know other tenses well before attempting this!
- Don't use mé, tú or siad.
- ELEANOR (LNR) hates the séimhiú!

Leathan (aou) gearr	Caol (ie) gearr	Leathan fada aigh/ail/ain	Caol fada igh/il/in
Fan *to stay*	Cuir *to put*	Tosaigh *to start*	Mínigh *to explain*
D'fha**nfainn**	Chui**rfinn**	Thos**óinn**	Mhín**eoinn**
D'fhan**fá**	Chuir**feá**	Thos**ófá**	Mhíne**ofá**
D'fhan**fadh** sé/sí	Chuir**feadh** sé/sí	Thos**ódh** sé/sí	Mhín**eodh** sé/sí
D'fhan**faimis (muid)**	Chuir**fimis**	Thos**óimis**	Mhín**eoimis**
D'fhan**fadh** sibh	Chuir**feadh** sibh	Thos**ódh** sibh	Mhín**eodh** sibh
D'fhan**faidís (siad)**	Chuir**fidís**	Thos**óidís**	Mhín**eoidís**
BS: D'fhanfaí	BS: Chuirfí	BS: Thosófaí	BS: Mhíneofaí

- To form a question – An + urú in verb.
- To write in negative (I do not) Ní + h. e.g. Ní fhanfainn sa leaba.
- An Briathar Saor: No person involved but verb is carried out: Learn the endings in table above.

key point

Drop the d' in the question and negative e.g. D'fhanfainn leaba dá.../An bhfanfá sa leaba dá...?

key point

Learn the 11 irregular verbs by heart in the modh coinníollach, see page 44.

Commonly used phrases in an modh coinníollach

1. Dá mbeadh a fhios agam cad a bhí ar tí tarlú an lá sin d'fhanfainn sa leaba.
   If I knew what was about to happen that day I'd have stayed in bed.

2. Ní fhágfainn mo fhón póca sa bhaile arís.
   I wouldn't leave my mobile phone at home again.

3. Ní chreidfeá mo scéal, ach b'fhiú duit éisteacht leis!
   You wouldn't believe my story but it would be worth your while listening to it.

4. Ar ór na cruinne ní athróinn aon rud faoin lá/oíche sin.
   For all the wealth in the world I wouldn't change a thing about that day/night.

5. Dá mbeadh níos mó ama agam d'fhéachfainn ar níos mó teilifíse/scannán/léifinn níos mó leabhar.
   If I had more time I'd watch more tv/films/read more books.

6. Dá mbeadh fadhb agam rachainn chuig mo thuismitheoirí.
   If I had a problem I'd go to my parents.

7. Dá mbeadh soineann go Samhain bheadh breall ar dhuine éigin.
   You can't please everyone (If there was fine weather up until November, you'd still find some unhappy people!).

8. Bheadh an domhan is a mháthair ag caint faoin eachtra seo go ceann tamall fada.
   Everyone would be talking about the incident for a long time.

9. Ní chloisfeá gíog ná míog is ní fheicfeá duine ná deoraí.
   You wouldn't hear a sound and you wouldn't see a soul.

10. Cad a dhéanfainn? Bhí mé i bponc ceart.
   What would I do? I was in a right fix.

Irregular verbs

Abair, beir, clois, déan, faigh, feic, ith, téigh, tar, tabhair, bí.

AL: an aimsir láithreach; AC: an aimsir chaite: AF: an aimsir fháistineach; MC: an modh coinníollach

BS: Briathar saor – No person but the verb is complete

To help you remember the 11 irregular verbs learn: **A B**lack **C**at **D**ied **F**ighting **F**ish **I**n **T**he **T**ank **T**hat **B**urst!

Abair – *to say*			
AL	**AC**	**AF**	**MC**
deirim	dúirt mé	déarfaidh mé	déarfainn
deir tú	dúirt tú	déarfaidh tú	déarfá
deir sé/sí	dúirt sé/sí	déarfaidh sé/sí	déarfadh sé/sí
deirimid	dúramar	déarfaimid	déarfaimis
deir sibh	dúirt sibh	déarfaidh sibh	déarfadh sibh
deir siad	dúirt siad	déarfaidh siad	déarfaidís
(ní deirim)	(ní dúirt mé)	(ní déarfaidh mé)	(ní déarfainn)
BS: deirtear	dúradh	déarfar	déarfaí

Beir – *to grab/catch*			
beirim	rug mé	béarfaidh mé	bhéarfainn
beireann tú	rug tú	béarfaidh tú	bhéarfá
beireann sé/sí	rug sé/sí	béarfaidh sé/sí	bhéarfadh sé/sí
beirimid	rugamar	béarfaimid	bhéarfaimis
beireann sibh	rug sibh	béarfaidh sibh	bhéarfadh sibh
beireann siad	rug siad	béarfaidh siad	bhéarfaidís
(ní bhéirim)	(níor rug mé)	(ní bhéarfaidh mé)	(ní bhéarfainn)
BS: beirtear	rugadh	béarfar	bhéarfaí

Clois – *to hear*

cloisim	chuala mé	cloisfidh mé	chloisfinn
cloiseann tú	chuala tú	cloisfidh tú	chloisfeá
cloiseann sé/sí	chuala sé/sí	cloisfidh sé/sí	chloisfeadh sé/sí
cloisimid	chualamar	cloisfimid	chloisfimis
cloiseann sibh	chuala sibh	cloisfidh sibh	chloisfeadh sibh
cloiseann siad	chuala siad	cloisfidh siad	chloisfidís
(ní chloisim)	(níor chuala)	(ní chloisfidh)	(ní chloisfinn)
BS: cloistear	chualathas	cloisfear	chloisfí

Déan – *to do/make*

déanaim	rinne mé	déanfaidh mé	dhéanfainn
déanann tú	rinne tú	déanfaidh tú	dhéanfá
déanann sé/sí	rinne sé/sí	déanfaidh sé/sí	dhéanfadh sé/sí
déanaimid	rinneamar	déanfaimid	dhéanfaimis
déanann sibh	rinne sibh	déanfaidh sibh	dhéanfadh sibh
déanann siad	rinne siad	déanfaidh siad	dhéanfaidís
(ní dhéanaim)	(ní dhearna mé)	(ní dhéanfaidh mé)	(ní dhéanfainn)
BS: déantar	rinneadh	déanfar	dhéanfaí

Faigh – *to get*

faighim	fuair mé	gheobhaidh mé	gheobhainn
faigheann tú	fuair tú	gheobhaidh tú	gheofá
faigheann sé/sí	fuair sé/sí	gheobhaidh sé/sí	gheobhadh sé/sí
faighimid	fuaireamar	gheobhaimid	gheobhaimis
faigheann sibh	fuair sibh	gheobhaidh sibh	gheobhadh sibh
faigheann siad	fuair siad	gheobhaidh siad	gheobhaidís
(ní fhaighim)	(ní bhfuair)	(ní bhfaighidh mé)	(ní bhfaighinn)
BS: faightear	fuarthas	gheofar	gheofaí

Feic – *to see*

feicim	chonaic mé	feicfidh mé	d'fheicfinn
feiceann tú	chonaic tú	feicfidh tú	d'fheicfeá
feiceann sé/sí	chonaic sé/sí	feicfidh sé/sí	d'fheicfeadh sé/sí
feicimid	chonaiceamar	feicfimid	d'fheicfimis
feiceann sibh	chonaic sibh	feicfidh sibh	d'fheicfeadh sibh
feiceann siad	chonaic siad	feicfidh siad	d'fheicfidís
(ní fheicim)	(ní fhaca mé)	(ní fheicfidh mé)	(ní fheicfinn)
BS: feictear	chonacthas	feicfear	d'fheicfí

Ith – *to eat*

ithim	d'ith mé	íosfaidh mé	d'íosfainn
itheann tú	d'ith tú	íosfaidh tú	d'íosfá
itheann sé/sí	d'ith sé/sí	íosfaidh sé/sí	d'íosfadh sé/sí
ithimid	d'itheamar	íosfaimid	d'íosfaimis
itheann sibh	d'ith sibh	íosfaidh sibh	d'íosfadh sibh
itheann said	d'ith siad	íosfaidh siad	d'íosfaidís
(ní ithim)	(níor ith)	(ní íosfaidh)	(ní íosfainn)
BS: itear	itheadh	íosfar	d'íosfaí

Téigh – *to go*

téim	chuaigh mé	rachaidh mé	rachainn
téann tú	chuaigh tú	rachaidh tú	rachfá
téann sé/sí	chuaigh sé/sí	rachaidh sé/sí	rachadh sé/sí
téimid	chuamar	rachaimid	rachaimis
téann sibh	chuaigh sibh	rachaidh sibh	rachadh sibh
téann siad	chuaigh siad	rachaidh siad	rachaidís
(ní théim)	(ní dheachaigh mé)	(ní rachaidh)	(ní rachainn)
BS: téitear	chuathas	rachfar	rachfaí

Tar – *to come*

tagaim	tháinig mé	tiocfaidh mé	thiocfainn
tagann tú	tháinig tú	tiocfaidh tú	thiocfá
tagann sé/sí	tháinig sé/sí	tiocfaidh sé/sí	thiocfadh sé/sí
tagaimid	thángamar	tiocfaimid	thiocfaimis
tagann sibh	tháinig sibh	tiocfaidh sibh	thiocfadh sibh
tagann siad	tháinig siad	tiocfaidh siad	thiocfaidís
(ní thagann)	(níor tháinig)	(ní thiocfaidh)	(ní thiocfainn)
BS: tagtar	thángthas	tiocfar	thiocfaí

Tabhair– *to give*

tugaim	thug mé	tabharfaidh mé	thabharfainn
tugann tú	thug tú	tabharfaidh tú	thabharfá
tugann sé/sí	thug sé/sí	tabharfaidh sé/sí	thabharfadh sé/sí
tugaimid	thugamar	tabharfaimid	thabharfaimis
tugann sibh	thug sibh	tabharfaidh sibh	thabharfadh sibh
tugann siad	thug siad	tabharfaidh siad	thabharfaidís
(ní thugann)	(níor thug)	(ní thabharfaidh)	(ní thabharfainn)
BS: tugtar	tugadh	tabharfar	thabharfaí

Bí – *to be*

táim	bhí mé	beidh mé	bheinn
tá tú	bhí tú	beidh tú	bheifeá
tá sé/sí	bhí sé/sí	beidh sé/sí	bheadh sé/sí
táimid	bhíomar	beimid	bheimis
tá sibh	bhí sibh	beidh sibh	bheadh sibh
tá siad	bhí siad	beidh siad	bheidís
(nílim/níl mé)	(ní raibh mé)	(ní bheidh)	(ní bheadh)
BS: táthar	bhíothas	beifear	bheifí

key point

Bí is the most important verb

The urú – a letter before a word

Urú before vowels: n-, e.g. ina n-áit.

When to use an 'urú':

1. After the following prepositions: ar an, leis an, ag an, roimh an, tríd an, thar an, faoin, ón.

    e.g. Ar an **m**bus ón gcathair, d'fhéach mé tríd an bhfuinneog agus labhair mé leis an gcailín in aice liom.

2. Counting things – seven upwards + urú e.g. seacht, ocht, naoi, deich **m**bliana

3. After i, e.g. i **n**Droichead Nua, i **g**Corcaigh, i **d**teach.

4. Possession – after ár, bhur and a. (See page 50)

Important prepositions

ar – on; ag – at; faoi – under/about; le – with; roimh – before; um – at; tríd – through thar – over; idir – between; chuig – towards; do – for/to; de – of; i – in

The following prepositions add a h (séimhiú) when directly followed by a noun:

- ar faoi roimh um
- de gan thar
- do ó trí

Ach **ar ball**, **thar barr**, **thar cionn**

No 'h' after the following:

- ag/go/go dtí
- as/le
- chuig

'ag' agus 'ar'

- 'to have': tá + ag'; m.sh. 'Tá leabhar agam.'
- Mothúchán + ar (**see page 12 Chapter One**)
- Tá áthas *ar* Dhónall

brón – *sad*	uaigneas – *lonely*	fearg – *angry*
ionadh – *surprise*	imní – *worry*	náire – *shame*
tart – *thirst*	díomá – *upset*	éad – *jealous*
ocras – *hunger*	gliondar – *delight*	

'ag' agus 'ar' i dteannta a chéile:

Tá aithne ag Dónall ar Aoife. (to know someone)

Tá meas ag an múinteoir ar Úna. (to have respect for someone)

Tá taithí ag Liam ar an obair sin. (to have experience)

Tá cion ag Éadaoin ar Dhonncha. (to be fond of)

'ag' with other prepositions:

Tá muinín (*trust*) ag Liam as Máire.

Tá iontaibh (*trust*) ag Liam as Máire.

Tá suim (*interest*) ag Liam i Máire.

Tá gaol (*relation*) ag Liam le Máire.

'ar' with other prepositions:

Tá éad (*envy*) ar Dhónall le Máire.

Tá fearg ar Dhónall le Máire.

Tá eagla ar Dhónall roimh Mháire.

ar/on	roimh/before	do/to/for	de/of	ó/from	faoi/under
orm	romham	dom	díom	uaim	fúm
ort	romhat	duit	díot	uait	fút
air	roimhe	dó	de	uaidh	faoi
uirthi	roimpi	di	di	uaithi	fúithi
orainn	romhainn	dúinn	dínn	uainn	fúinn
oraibh	romhaibh	daoibh	díbh	uaibh	fúibh
orthu	rompu	dóibh	díobh	uathu	fúthu

trí/through	as/from	thar/over	le/with	ag/at
tríom	asam	tharam	liom	agam
tríot	asat	tharat	leat	agat
tríd	as	thairis	leis	aige
tríthi	aisti	thairsti	léi	aici
trínn	asainn	tharainn	linn	againn
tríbh	asaibh	tharaibh	libh	agaibh
tríothu	astu	tharstu	leo	acu

chuig	i	idir
chugam	ionam	—
chugat	ionat	—
chuige, chuici	ann/inti	—
chugainn	ionainn	eadrainn
chugaibh	ionaibh	eadraibh
chucu	iontu	eatarthu

Possession – mine, yours, his and hers

(*See* urú, page 48)

Noun beginning with consonant:

Rules: mo + h, do + h, a (boy) + h, a (girl) – no change

ár + urú, bhur + urú a (their) + urú

mé	mo **ch**amán	mo **ph**eann
tú	do **ch**amán	do **ph**eann
sé	a **ch**amán	a **ph**eann
sí	a camán	a peann
muid/sinn	ár **g**camáin	ár **b**pinn
sibh	bhur **g**camáin	bhur **b**pinn
siad	a **g**camáin	a **b**pinn

Noun beginning with vowel: mo = m', do = d' a (boy) no change

a (girl) + h, ár + urú, bhur + urú, a (their) + urú

mé	**m'**athair	**m'**airgead
tú	**d'**athair	**d'**airgead
sé	a athair	a airgead
sí	a **h**athair	a **h**airgead
muid/sinn	ár **n**-athair	ár **n**-airgead
sibh	bhur **n**-athair	bhur **n**-airgead
siad	a **n**-athair	a **n**-airgead

Useful adjectives

(See pages 10–11 for description words)

Revise adjectives to describe things & people (see page 10). You should know ten negative and ten positive ones.

Adjectives 2: comparing

Note that there's a pattern when comparing.

Check ending of your adjective and this will decide how it changes in comparative form.

You will need to learn:

Normal: **Tá** Máire cainteach – *Mary is talkative*

More: **Tá** Lisa **níos** caintí – *Lisa is more talkative*

And most: **Is** í Cáit an duine **is** caintí – *Kate is the most talkative*.

fada – níos faide – is faide (*long*)	furasta – níos fusa – is fusa (*easy*)
sean – níos sine – is sine (*old*)	te – níos teo – is teo (*hot*)
santach – níos santaí – is santaí (*greedy*)	tanaí – níos tanaí – is tanaí (*thin*)
salach – níos salaí – is salaí (*dirty*)	fíochmhar – níos fíochmhaire – is fíochmhaire (*fierce*)
tábhachtach – níos tábhachtaí – is tábhachtaí (*important*)	grámhar – níos grámhaire – is grámhaire (*loving*)
láidir – níos láidre – is láidre (*strong*)	ciallmhar – níos ciallmhaire – is ciallmhaire (*sensible*)
saibhir – níos saibhre – is saibhre (*rich*)	dathúil – níos dathúla – is dathúla (*handsome*)
deacair – níos deacra – is deacra (*difficult*)	cáiliúil – níos cáiliúla – is cáiliúla (*famous*)
ramhar – níos raimhre – is raimhre (*fat*)	leisciúil – níos leisciúla – is leisciúla (*lazy*)
geal – níos gile – is gile (*bright*)	suimiúil – níos suimiúla – is suimiúla (*interesting*)
gearr – níos giorra – is giorra (*short*)	spéisiúil – níos spéisiula – is spéisiúla (*interesting*)
íseal – níos ísle – is ísle (*low/small*)	álainn – níos áille – is áille (*lovely*)
mall – níos moille – is moille (*slow*)	trom – níos troime – is troime (*heavy*)
óg – níos óige – is óige (*young*)	olc – níos measa – is measa (*bad*)
fuar – níos fuaire – is fuaire (*cold*)	beag – níos lú – is lú (*small*)
glan – níos glaine – is glaine (*clean*)	maith – níos fearr – is fearr (*good*)
lag – níos laige – is laige (*weak*)	mór – níos mó – is mó (*big*)
bocht – níos boichte – is boichte (*poor*)	tapúil – níos tapúla – is tapúla (*fast*)
éasca – níos éascaí – is éascaí (*easy*)	

An tuiseal ginideach – genitive case

This means that the spelling of the noun needs to change to show:

1. Positions of nouns
2. Possession, e.g. Seán's iPod
3. Following 'ag' verbs, e.g. ag imirt peile
4. Amounts e.g. píosa aráin
5. Two nouns coming together (the second one changes).

If you're aiming for an A, try to include a few phrases using an tuiseal ginideach in your composition. The last question of the grammar section always asks this.

1. The following **position words** change the noun. Study and then learn how the nouns change.

In aice **an tí** (an teach)	Beside the house
Ar chúl na scoile (an scoil)	Behind the school
Os comhair **na n**daoine (na daoine)	In front of the people
Cois **farraige** (an fharraige)	Beside the sea
I rith **na h**oíche (an oíche)	During the night
Le linn na seachtaine (an tseachtain)	During the week
I ndiaidh an ráis (an rás)	After the race
I gcaitheamh an **lae** (an lá)	During the day
I láthair **na h**uaire (an uair)	At this moment
Ag deireadh an dáin (an dán)	At the end of the poem
Ag tús an scéil (an scéal)	At the start of the story
I lár **na** cat**hrach** (an chathair)	In the middle of the city
Timpeall **na** tíre (an tír)	Around the country
Ar fud **na hÉireann** (Éire)	Around Ireland
Trasna an bhóthair (an bóthar)	Across the road

2. Possession

Cóta Mháire	Mary's coat
Máthair Sheáin	John's mother
Iompar an bhuachalla	The boy's behaviour
Guth an mhúinteora	The teacher's voice

3. Following 'ag'

Ag lorg oibre	Looking for work
Ag ithe an dinnéir	Eating the dinner
Ag déanamh staidéir	Doing study
Ag foghlaim Fraincise	Learning French
Ag imirt leadóige	Playing tennis
Ag cur fola/báistí	Bleeding/raining

4. Amounts

A lán airgid	A lot of money
Tuilleadh eolais	More information
Breis oibre	Extra work
Ganntannas airgid	Lack of money
Neart talainne	Lots of talent
Togha na Gaeilge	The best of Irish
Easpa suime	Lack of interest
Saghas saoil	Sort of life
Go leor ama	Enough time
Dóthain dí	Enough drink
In aineoinn na haimsire	Despite the weather
An iomarca cainte	Too much talk

5. Two nouns together

Bean an **tí**	*Woman of house*
Fear an pho**ist**	*Post man*
Geata na scoil**e**	*School gate*
Tionscnamh Gearmáinis**e**	*German project*
Radharc **na mara** (an mhuir)	*Sea view*

Sample grammar exercise – trialacha teanga comhthéacsúla

Scríobh na freagraí ar Roinn III ar do **fhreagarleabhar**. (20 marc)

Ceist 2. Freagair **A** *agus* **B** anseo.

A (10 marc)

Key point box:

1-6 + h, 7 upwards + urú
Ag comhaireamh rudaí agus daoine (see page 11, counting things and people).

Bhí Terry de Búrca ag ceolchoirm U2 i bPáirc an Chrócaigh i mí Iúil **seo caite**. Chum Terry cuntas ar an gceolchoirm ar a ríomhaire glúine d'iris na scoile ach ar chúis éigin nuair a phriontáil Terry an cuntas bhí cuid de na briathra san Aimsir Fháistineach. Chuaigh Terry siar ar an gcuntas arís agus chuir sé líne faoi na briathra. Ansin chum sé an cuntas arís san **Aimsir Chaite**.

Scríobh an cuntas a chum Terry san **Aimsir Chaite** agus athraigh na focail a bhfuil líne fúthu i do fhreagarleabhar. Is mar seo a leanas a thosaigh Terry:

'**Chuir** U2 trí cheolchoirm ar stáitse i bPáirc an Chrócaigh i mí Iúil....'

U2 i bPáirc an Chrócaigh 2009 – Turas 360°

<u>Cuirfidh</u> U2 trí cheolchoirm ar stáitse i bPáirc an Chrócaigh i mí Iúil. Nuair a chloisfidh an lucht leanúna an scéal, is cinnte <u>go léimfidh</u> siad le háthas. Dúirt Paul Mc Guinness, bainisteoir U2, <u>go mbeidh</u> siad ag seinm i mBaile Átha Cliath mar chuid dá gcamchuairt 360°. <u>Íocfaidh mé</u> €135 ar mo thicéad! <u>Baileoidh</u> an lucht leanúna i lár na cathrach tar éis lóin ar an Aoine. <u>Tabharfaidh</u> siad aghaidh ar Pháirc an Chrócaigh gan mhoill. D'úsáid an grúpa an 'Claw' mar chuid den stáitse.

Practice

1. Scríobh an t-alt faoi U2 san aimsir chaite agus san aimsir láithreach.

2. Scríobh an cuntas seo sa mhodh coinníollach.

Dá mbeadh mo bhreithlá ann...

Thug mé cuireadh do mo chairde teacht go dtí mo theach.

Chuir mé glao ar gach duine.

Thosaigh an chóisir ar a hocht a chlog. Bhí a lán rírá is ruaille buaille mar bhí gach duine ag damhsa is ag caint. Chuir mé dlúthdhiosca ar siúl. Chríochnaigh an chóisir ar a haon déag a chlog. Fuair mé a lán bronntanas deas agus cheap mé go raibh an lá ar fheabhas. Ní dhearna mé dearmad ar an gcóisir sin, go deo!

See page 57 for solutions.

B (10 marc)

Abairtí as peannphictiúr atá anseo thíos. Is tusa Cáit. Athscríobh na habairtí i do fhreagarleabhar agus líon na bearnaí leis an bhfocal (na focail) is oiriúnaí agus scríobh an leagan ceart de na focail/figiúirí atá idir lúibíní.

Sampla:

Cáit is ainm **dom**.

Tá (235)... dalta i mo scoil.

Gaeilge an... is fearr liom.

Bean Uí Mhórdha is ainm... phríomhoide.

Tá meas ag gach duine... an bpríomhoide.

Tugann sí cothrom... do gach duine.

(a) an Fhéinne (b) na Féinne (c) na Fianna (d) an Fine

See page 58 for solutions.

Practice

(a) Tá Pól ina chónaí i lár... (i) an chathair (ii) an chathaoir (iii) na cathrach (iv) na cathracha.

(b) Tá (12)... sa rang ceoil.

(c) Is í Síle an duine is (óg) sa chlann.

(d) Níl a fhios... faoi Mháire, ní fhaca mé í.

(e) Bhí brón... nuair a chaill sí a iPod nua.

(f) Tá an-suim go deo... sa cheol.

(g) Bíonn an dalta dána i gcónaí ag caint... an dalta eile sa rang.

(h) Tá seacht... scoile ar siúl agam ar scoil.

(i) Tá (5) sa chlann.

See page 58 for solutions.

Solutions for chapter 2

Léamhthuiscint sample 1: Bliain is fiche ag fás

Téacs ar lch 38.

(i) (a) Bhuaigh an clár trí Ghradam Emmy is fiche le linn an ama sin.

    (b) *South Park*, *Family Guy* agus *American Dad*.

(ii) (a) Truailliú na timpeallachta is téama don scannán.

    (b) Is é an laige is mó atá ar an scannán ná an ról imeallach atá ag Bart.

(iii) (a) Feictear íomhánna den saol réalaíoch agus ar an mbonn sin meallann siad lucht féachana dílis chucu féin.

    (b) Déanann na cláir scigaithrise mugadh magadh den chur i gcéill a bhaineann le hiompar daoine.

(iv) 'Is deacair a rá cá bhfuil na Simpsons suite.'

    Alt 1 ◯ Alt 2 ◯ Alt 3 ✔ Alt 4 ◯

(v) 'Léiríonn an scríbhneoir díomá áirithe maidir leis an scannán faoi na Simpsons.'

    Alt 1 ◯ Alt 2 ✔ Alt ◯ Alt 4 ◯

Roinn III – trialacha teanga comhthéacsúla

(A) Téacs ar lch 54.

1. Practice: An aimsir chaite.

Scríobh an cuntas a chum Terry san **aimsir chaite** agus athraigh na focail atá i gcló trom i do fhreagarleabhar. Is mar seo a leanas a thosaigh Terry:

Chuir U2 trí cheolchoirm ar stáitse i bPáirc an Chrócaigh i mí Iúil...

U2 i bPáirc an Chrócaigh 2009 – Turas 360°

Chuir U2 trí cheolchoirm ar stáitse i bPáirc an Chrócaigh i mí Iúil. Nuair a chuala an lucht leanúna an scéal, is cinnte **gur léim** siad le háthas. Dúirt Paul Mc Guinness bainisteoir U2 **go raibh** siad ag seinm i mBaile Átha Cliath mar chuid dá gcamchuairt 360°.

D'íoc mé €135 ar mo thicéad! **Bhailigh** an lucht leanúna i lár na cathrach tar éis lóin ar an Aoine. **Thug siad** aghaidh ar Pháirc an Chrócaigh gan mhoill. D'úsáid an grúpa an 'Claw' mar chuid den stáitse.

Practice: An aimsir láithreach

(a) **Cuireann** U2 trí ceolchoirm ar stáitse i bPáirc an Chrócaigh i mí Iúil.

(b) Nuair a chloisfidh an lucht leanúna an scéal, is cinnte **go léimeann** siad le háthas.

(c) Dúirt Paul McGuinness, bainisteoir U2 **go mbíonn** siad ag seinm i mBaile Átha Cliath mar chuid dá gcamchuairt 360°.

(d) **Íocaim** €135 ar mo thicéad!

(e) **Bailíonn** an lucht leanúna i lár na cathrach tar éis loin ar an Aoine.

(f) **Tugann** siad aghaidh ar Pháirc an Chrócaigh gan mhoill.

2. Practice: An modh coinníollach

Dá mbeadh mo bhreithlá ann...

Thug mé cuireadh do mo chairde teacht go dtí mo theach.

Chuir mé glao ar gach duine.

Thosaigh an chóisir ar a hocht a chlog. Bhí a lán rírá is rúaille búaille mar bhí gach duine ag damhsa is ag caint. Chuir mé dlúthdhiosca ar siúl. Chríochnaigh an chóisir ar a haon déag a chlog. Fuair mé a lán bronntanas deas agus cheap mé go raibh an lá ar fheabhas. Ní dhearna mé dearmad ar an gcóisir sin, go deo!

(B) Téacs ar lch 55.

Cáit is ainm **dom**.

Tá **dhá chéad tríocha cúig** dalta i mo scoil.

Gaeilge an **t-ábhar** is fearr liom.

Bean Uí Mhórdha is ainm **don** phríomhoide.

Tá meas ag gach duine **ar** an bpríomhoide.

Tugann sí cothrom **na Féinne** do gach duine.

Practice

Téacs ar lch 56.

(a) Tá Pól ina chónaí i lár **na cathrach**.

(b) Tá **dáréag** sa rang ceoil.

(c) Is í Síle an duine is **óige** sa chlann.

(d) Níl a fhios **agam** faoi Mháire, ní fhaca mé í.

(e) Bhí brón **orm** nuair a chaill sí a iPod nua.

(f) Tá an-suim go deo **agam** sa cheol.

(g) Bíonn an dalta dána i gcónaí ag caint **leis** an dalta eile sa rang.

(h) Tá seacht **n-ábhar** scoile ar siúl agam ar scoil.

(i) Tá **cúigear** sa chlann.

3 Scríobh – Composition

20%+

Exam layout

You must do **one** of the following options:

(A) Aiste (Essay): Three titles, you choose **one**.

(B) Scéal (Story): Two openings, you choose **one**: An opening sentence is given, you complete the story.

   Or write about an incident that happened to you.

(C) Díospóireacht/Óráid (Debate/Argument): Two motions, you choose **one** and write a speech for or against.

(D) Alt (Article): Write an article for a magazine/newspaper: two topics, you choose **one**.

There are 50 marks to be gained here, so it's worth putting in lots of study for this section!

Breakdown of marks:
- 10 marc – Ábhar (Subject)
- 40 marc – Gaeilge.

- Read titles carefully. See list of titles each year in table on page 2.
- Be sure that you know ten to fifteen handy phrases that will suit any essay/article/debate.
- Be sure that you know a wide range of 'foclóir' for each topic (use vocabulary lists by topic from Chapter 2).
- One and a half A4 pages are required (two pages, if your writing is large).
- Do a rough plan or brainstorm of what you'll write in each paragraph.
- Be sure to have a beginning, a middle and an end.
- The Essay and Article are broadly similar, the Debate requires a different beginning and end.
- Be careful with spelling and tenses and read your work back at the end.

Check which tense the title is and then write in that tense (usually present tense).

How to express opinions

Tuairimí dearfacha (positive opinions)

Is aoibhinn liom	I love
Is breá liom	I love
Taitníonn X go mór liom	I really like/enjoy X
Ní féidir X a shárú	You couldn't beat X
Táim craiceáilte faoi	I'm crazy about/I love
Tá X ar fheabhas/thar cionn	X is excellent
Tá X i mbarr a réime	X is the best
Tá an-mheas agam ar X	I really respect X
Tá X sár-mhaith/go hiontach	X is great
Tá an-suim go deo agam i X	I'm really interested in X

Tuairimí diúltacha (negative opinions)

Is fuath liom X	I hate X
Tá an ghráin dhearg agam ar X	I hate X
Cuireann X déistin/fearg orm	X disgusts/angers me
In ainm Dé!	For God's sake!
Tá X go huafásach/go hainnis	X is terrible
Is trua é	It's a pity
Is bocht an scéal é	It's a sad state of affairs
Is scannal é	It's a scandal
Is cuma sa tsioc linn faoi	We don't give a damn about...
Is cúis náire é	It's a shame

Top ten phrases to open aiste/alt/díospóireacht

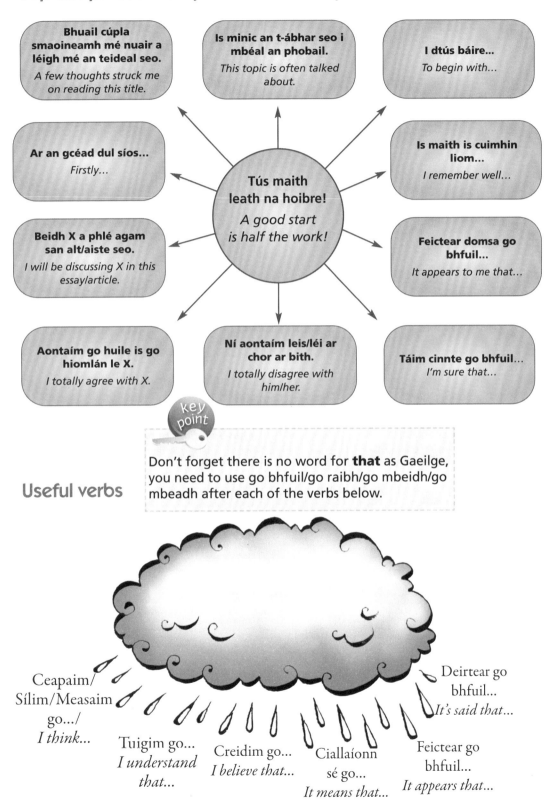

Bhuail cúpla smaoineamh mé nuair a léigh mé an teideal seo.
A few thoughts struck me on reading this title.

Is minic an t-ábhar seo i mbéal an phobail.
This topic is often talked about.

I dtús báire...
To begin with...

Ar an gcéad dul síos...
Firstly...

Is maith is cuimhin liom...
I remember well...

Tús maith leath na hoibre!
A good start is half the work!

Beidh X a phlé agam san alt/aiste seo.
I will be discussing X in this essay/article.

Feictear domsa go bhfuil...
It appears to me that...

Aontaím go huile is go hiomlán le X.
I totally agree with X.

Ní aontaím leis/léi ar chor ar bith.
I totally disagree with him/her.

Táim cinnte go bhfuil...
I'm sure that...

key point

Don't forget there is no word for **that** as Gaeilge, you need to use go bhfuil/go raibh/go mbeidh/go mbeadh after each of the verbs below.

Useful verbs

Ceapaim/Sílim/Measaim go.../
I think...

Tuigim go...
I understand that...

Creidim go...
I believe that...

Ciallaíonn sé go...
It means that...

Deirtear go bhfuil...
It's said that...

Feictear go bhfuil...
It appears that...

Top 20 handy phrases for aiste/alt/díospóireacht

1.	mar shampla	for example
2.	cuir i gcás	for instance
3.	ar an dara dul síos	secondly
4.	chomh maith leis sin	as well as that
5.	freisin	also
6.	go háirithe	especially
7.	an iomarca	too much
8.	chun an fhírinne a rá	to tell the truth
9.	caithfidh mé a rá	I must say
10.	an aon ionadh é?	is it any wonder that?
11.	cuirtear brú ar x	there's pressure on x
12.	mar gheall ar	because of
13.	maidir le	regarding
14.	gan dabht	without a doubt
15.	tá a fhios ag madraí an bhaile	everyone knows
16.	tá tionchar ag x ar y	x has an influence on y
17.	tá idir bhuntáistí agus mhíbhuntáistí le...	there are advantages & disadvantages to...
18.	tá sé chomh soiléir le breacadh an lae	it's as clear as day
19.	déarfainn go bhfuil...	I'd say that...
20.	mar a dúirt mé cheana	as I've already said

Top five phrases to conclude the aiste/alt/díospóireacht

Tá sé cruthaithe go bhfuil...
It's been proven that...

De réir an tseanfhocail, is maith an scéalaí an aimsir...
As the saying goes, time will tell...

Mar fhocal scoir...
Finally/As a parting word...

De réir an tseanfhocail, ní neart go cur le chéile...
As the saying goes, there is strength in numbers...

Ag deireadh an lae...
At the end of the day...

exam focus

Refer to key words of title in closing paragraph.

(A) Aiste – Essay

Sample Essays

Aiste shamplach 1

Duine a bhfuil an-mheas agam air/uirthi
(A famous person I respect)

Tá an-suim go deo agam sa spórt. Imrím a lán spórt difriúil. Tá an spórt an-tábhachtach i saol an duine óig. Imrím sacar agus peil Ghaelach ar scoil. Imrím camógaíocht le **mo chlub áitiúil** (1). Is í an iománaíocht an spórt is fearr liom agus gan dabht is é Joe Canning (2) **mo laoch spóirt. Is imreoir den chéad scoth é** (3). Tá an-mheas agam air. Tá Joe Canning **breis is sé troithe ar airde** (4).

Tá **cáil ar** (5) Canning mar gheall ar **a scileanna** (6) san iomáint. Fear óg is ea é a rugadh i 1988. Is as Gaillimh **ó dhúchas** (7) é agus imríonn sé lena chlub áitiúil, Port Omna. Imríonn sé **sna tosaithe** (8). Tá sé **ina bhall d'fhoireann shinsir** (9) na Gaillimhe ó 2008 agus tá **idir scil agus thallann** (10) aige.

Is aoibhinn liom bheith ag féachaint air, mar imreoir **i mbarr a réime** [11] is ea é. **Is minic a dhéanann sé gaisce** [12] ar an bpáirc iománaíochta. Cuir i gcás, is minic a fhaigheann sé scór **ó phoc sleasa ón taobhlíne** [13]. Tá a mhuintir **sáite san iomáint** [14], mar shampla imríonn a dheartháir Ollie le foireann na Gaillimhe freisin agus imríonn a dheirfiúr camógaíocht don chontae.

Rinne sé staidéar in Institiúid Teicneolaíochta Luimnigh ar **ghnó agus ar mhargaíocht** [15]. Imríonn sé leis an gcoláiste sin chomh maith. Bhuaigh sé **craobh an chontae** [16] ceithre huaire agus bhuaigh sé **Craobh na hÉireann** [17] trí huaire lena chlub, Port Omna. An samhradh seo caite chonaic mé Joe ag imirt le foireann na Gaillimhe in aghaidh na gCat (Cill Chainnigh) i g**cluiche leathcheannais** [18]. Bhí sé dochreidte. **Bhraith an fhoireann go mór air** [19]. D'aimsigh sé scór iontach [20] an lá sin, **dhá chúl** [21] agus naoi g**cúilín** [22]. **D'imir sé go sármhaith** [23]. Faraor, bhuaigh Cill Chainnigh.

Gan dabht tugann Canning **inspioráid** [24] agus dea-shampla, go háirithe do na himreoirí óga. **Déanann sé a sheacht ndícheall ar son na foirne i gcónaí** [25].

Gan dabht is imreoir **díograiseach** [26] é. Uaireanta feictear é ar an teilifís agus deirtear go bhfuil **pearsantacht thaitneamhach** [27] aige. Tugann sé cuairt ar na scoileanna agus clubanna timpeall na tíre chun an **iomáint a chur chun**

key point

All phrases below can be used to write about any sportsperson.

cinn [28]. Bhuaigh sé **dhá ghradam** [29] 'All Star' agus **tá siad tuillte go maith aige** [30]. Ceapaim gur imreoir iontach é agus beidh sé ina laoch i saol na hiománaíochta go ceann i bhfad. Tá an-mheas ag muintir na hÉireann ar an leaid óg seo. Déarfainn go bhfuil **seans maith** [31] ann go bhfeicfear é sa **chluiche ceannais** [32] i Meán Fómhair seo chugainn má leanann sé ag imirt go maith. De réir an tseanfhocail, is maith an scéalaí an aimsir. Tá a fhios ag madraí an bhaile gur iontach an imreoir é. **Gura fada buan é** [33]!

1.	mo chlub áitiúil	*my local club*
2.	mo laoch spóirt	*my sports hero*
3.	Is imreoir den chéad scoth é.	*He's a fantastic player.*
4.	breis is sé troithe ar airde	*more than six feet tall*
5.	cáil ar	*famous for/known for*
6.	a scileanna	*his skills*
7.	ó dhúchas	*originally*
8.	sna tosaithe	*in the forwards*
9.	ina bhall d'fhoireann na sinsear	*a member of the senior team*
10.	idir scil agus thallann	*both skill and talent*

11.	i mbarr a réime	at the top of his game
12.	is minic a dhéanann sé gaisce	he often makes great achievements
13.	ó phoc sleasa ón taobhlíne	from a sideline cut
14.	sáite san iomáint	immersed in hurling
15.	sa ghnó agus sa mhargaíocht	business & marketing
16.	craobh an chontae	county championship
17.	Craobh na hÉireann	all-Ireland championship
18.	cluiche leathcheannais	semi-final
19.	Bhraith an fhoireann go mór air.	The team greatly depended on him.
20.	D'aimsigh sé scór iontach	He got a fantastic score
21.	dhá chúl	two goals
22.	cúilín	point
23.	D'imir sé go sármhaith.	He played really well.
24.	inspioráid	inspiration
25.	Déanann sé a sheacht ndícheall ar son na foirne i gcónaí.	He always does his best for the team.
26.	díograiseach	hardworking
27.	pearsantacht thaitneamhach	pleasant personality
28.	an iomáint a chur chun cinn	to promote hurling
29.	dhá ghradam	two awards
30.	tá siad tuillte go maith aige	he has earned them
31.	seans maith	there's a good chance
32.	cluiche ceannais	final match
33.	Gura fada buan é!	Long may it last!

Put phrases into practice

Críochnaigh an aiste seo a leanas:

Mo rogha pearsa spóirt/An laoch spóirt is fearr liom…

Related essay titles

An réalta spóirt is fearr liom – *My favourite sports star*

Éireannach a bhfuil an-mheas agam air/uirthi – *An Irish person I respect*

Spóirt – *Sport*

Laochra spóirt – *Sporting heroes*

Tionchar na réaltaí spóirt – *Influence of sports stars*

Duine cáiliúil a bhfuil meas agam air/uirthi – *A famous person I respect*

Duine sa saol phoiblí a thaitníonn liom – *A celebrity I respect*

An phearsa spóirt is fearr liom – *My favourite sports personality*

Duine a chuaigh i gcion orm/duine a chuaigh i bhfeidhm orm – *Someone who had an effect on me.*

Aiste shamplach 2

Na fadhbanna a bhíonn ag daoine óga
(Problems of young people)

Bhuail cúpla smaoineamh mé nuair a léigh mé an teideal seo. Deirtear sa teideal go mbíonn fadhbanna ag daoine óga, go gcuirtear **a lán brú** (1) ar **dhéagóirí** (2). Is duine óg mé agus tuigim an teideal. Beidh cúpla fadhb á bplé agam san aiste seo, fadhbanna sa bhaile agus sa cheantar, fadhbanna ar scoil agus an brú a bhíonn ar dhéagóirí.

Ar an gcéad dul síos is minic a bhíonn fadhbanna againn sa bhaile. Uaireanta ní thuigeann na **daoine fásta** (3), na tuismitheoirí, daoine óga. Bíonn a lán **troideanna is argóintí** (4) againn le tuismitheoirí sa bhaile. Ní bhíonn cead againn dul amach nuair a bhíonn **fonn orainn** (5). Caithfimid **síob** (6) a fháil ónár dtuismitheoirí chun dul aon áit. Bíonn sé níos deacra fós ar na daoine óga sin a chónaíonn faoin tuath.

Ní bhíonn cead againn féachaint ar an teilifís **go déanach** (7) san oíche. Cloisimid an dá fhocal sin, níl cead, go **rómhinic** (8). Sin nó 'tá tú ró-óg'. Bhuel, i mo thuairimse, **níl sé sin féaráilte** (9). I mo thuairim **níl sé sláintiúil** (10) go mbíonn daoine óga **faoi ghlas** (11) ina dtithe ag staidéar **ó dhubh go dubh** (12). An aon ionadh é go mbíonn déagóirí **ag insint bréag** (13) agus **ag éalú amach** (14) an fhuinneog **i ngan fhios dá dtuismitheoirí!** (15)

Feictear dom go gcaithfidh ár dtuismitheoirí **níos mó saoirse** (16) a thabhairt dúinn. Caithfimid bheith in ann **labhairt go hoscailte** (17) lenár dtuismitheoirí chun go mbeidh an **saol níos éasca** (18) ar gach duine.

Measaim freisin go mbíonn fadhbanna ag daoine óga nuair a bhíonn cónaí orthu in **áit easnamhach** (19) – ceantar gan áiseanna. Nuair a bhíonn **easpa áiseanna** (20) i gceantar ciallaíonn sé go **leanfaidh fadhbanna sóisialta eile** [21]. Nuair a bhíonn **leadrán ar dhaoine** [22] óga uaireanta téann cuid acu **ag caitheamh toitíní**, **ag ól alcóil** [23] nó níos measa **ag caitheamh drugaí** [24]. Bíonn **a lán brú** [25] ar dhaoine óga chun tosú ag ól agus iad an-óg. Na cairde a chuireann an brú sin orthu. Cuireann sé déistin orm go bhfuil bailte ann gan aon chlub óige nó áiseanna spóirt. Caithfidh **an rialtas** [26] rud a dhéanamh faoi seo.

Ar an dara dul síos **bímid cráite** [27] ag na ceithre s-anna -scoil, staidéar, scrúduithe agus **ar ndóigh** strus [28]. Nach ndeirtear sa seanfhocal gur fearr an tsláinte ná na táinte? Cuirtear **an iomarca brú** [29] orainn ar scoil. In ainm Dé bíonn seacht n-ábhar déag **idir lámha againn** [30] sa chéad bhliain ar scoil agus níos mó ná deich n-ábhar sa **Teastas Sóisearach** [31] tar éis na tríú bliana.

Éirímid **bréan den** [32] staidéar agus de **na léachtaí** [33] ónár dtuismitheoirí. Níl mé pioc sásta go gcuirtear an brú sin orainn. Níl sé sláintiúil bheith istigh ag staidéar an t-am ar fad. Cén fáth go mbíonn na scrúduithe ar lá amháin? Tá sé **áiféiseach** [34] agus craiceáilte. Creidim go láidir go mbeadh **measúnú leanúnach** [35] **i bhfad Éireann níos fearr** [36]. Mar shampla dhéanfadh na daltaí scrúduithe go minic i rith na bliana in áit gach scrúdú a dhéanamh in aon mhí amháin, mí an Mheithimh. Mar gheall air sin bheadh **trí mhí saor** [37] againn agus **deis** [38] againn dul go coláiste Fraincise nó go dtí an Ghaeltacht!

Chomh maith leis sin cuireann na **meáin chumarsáide** [39] an iomarca brú ar dhaoine óga. Gan dabht tá tionchar ag na meáin ar dhéagóirí, go háirithe an teilifís. Nuair a fheiceann daoine óga **na réalta teilifíse/ceoil** [41] **foirfe** [41] – gan spota ar bith orthu agus iad **fíor-thanaí** [42] – ba mhaith leo **aithris a dhéanamh orthu** [43]. Leanann fadhbanna mar **easpa féinmhuiníne** [44] agus **neamhoird itheacháin** [45], anorexia nervosa agus bulimia, an brú sin. Is bocht an scéal é. Feiceann na daoine óga **an t-uafás foréigin** [46] freisin. Níl sé sin go maith do **mheon na ndaoine óga** [47]. Cinnte, cuireann **an fhógraíocht** [48] an iomarca brú ar dhaoine óga freisin. Mothaíonn siad go gcaithfidh siad éadaí a bhfuil **lipéid dearthóra** [49] orthu nó an cluiche ríomhaire is déanaí a cheannach. Sílim go n-imíonn sé **ó smacht** [50] ar fad um Nollaig.

Tá **cúlú eacnamaíochta** [51] sa domhan anois. **Níl pingin rua ag aon duine** [52]. Ní bheidh daoine óga in ann poist samhraidh a fháil **a thuilleadh** [53].

Táim cinnte go bhfuil sé cruthaithe agam go bhfuil a lán fadhbanna ag daoine óga. Sin é an saol, is dócha. Mar fhocal scoir, creidim go gcaithfidh daoine óga labhairt lena dtuismitheoirí agus lena múinteoirí mar gheall ar na fadhbanna atá acu. De réir an seanfhocail, **ní neart go cur le chéile!** [54]

1.	a lán brú	*a lot of pressure*
2.	déagóirí	*teenagers*
3.	daoine fásta	*grown ups/adults*
4.	troideanna is argóintí	*fighting and arguments*
5.	fonn orainn	*want to*

6.	síob	*lift*
7.	go déanach	*late*
8.	rómhinic	*too often*
9.	níl sé sin féaráilte	*it's not fair*
10.	níl sé sláintiúil	*it's not healthy*
11.	faoi ghlas	*locked up*
12.	ó dhubh go dubh	*from dusk till dawn*
13.	ag insint bréag	*telling lies*
14.	ag éalú amach	*escaping*
15.	i ngan fhios dá dtuismitheoirí!	*unknown to their parents*
16.	níos mó saoirse	*more freedom*
17.	labhairt go hoscailte	*speaking openly*
18.	saol níos éasca	*easier life*
19.	áit easnamhach	*deprived area*
20.	easpa áiseanna	*lack of facilities*
21.	leanfaidh fadhbanna sóisialta eile	*other social problems will follow*
22.	(nuair a bhíonn) leadrán ar dhaoine	*(when) people are bored*
23.	ag caitheamh toitíní, ag ól alcóil	*smoking cigarettes, drinking alcohol*
24.	ag caitheamh drugaí	*taking drugs*
25.	a lán brú	*a lot of pressure*
26.	an rialtas	*the government*
27.	bímid cráite	*we are tormented*
28.	ar ndóigh	*of course*
29.	an iomarca brú	*too much pressure*
30.	idir lámha againn	*undertaking*
31.	an Teastas Sóisearach	*Junior Cert*
32.	bréan de	*fed up with*
33.	na léachtaí	*the lectures*

34.	áiféiseach	ridiculous
35.	measúnú leanúnach	continuous assessment
36.	i bhfad Éireann níos fearr	much better
37.	trí mhí saor	three months off
38.	deis	opportunity
39.	na meáin chumarsáide	the media
40.	na réaltaí teilifíse/ceoil	tv/music stars
41.	foirfe	perfect
42.	fíor-thanaí	very thin
43.	aithris a dhéanamh orthu	to copy/imitate
44.	easpa féinmhuiníne	lack of self-confidence
45.	neamhoird itheacháin	eating disorders
46.	an t-uafás foréigin	much violence
47.	meon na ndaoine óga	mind of young people
48.	an fhógraíocht	advertising
49.	lipéid dearthóra	designer labels
50.	ó smacht	out of control
51.	cúlú eacnamaíochta	economic recession
52.	Níl pingin rua ag aon duine.	Nobody has a penny.
53.	a thuilleadh	anymore
54.	Ní neart go cur le chéile!	Unity is strength.

Putting phrases into practice

Now do your best to translate the following phrases.

1. Teenagers often get into trouble for drinking alcohol.

2. Violence in television programmes can have a bad influence on young people.

3. The advertising of designer labels puts a lot of pressure on young people because most of us don't have a penny.

4. Some celebrities have eating disorders and are much too thin.

5. Continuous assessment would be better than big exams.

6. Smoking harms our health.

7. It is ridiculous that students must do 16 subjects in first year of post-primary school.

8. People living in deprived areas need help from the government.

9. An economic recession causes many social problems, due to a lack of facilities.

10. Everyone who takes drugs is part of the drug problem, and becomes a criminal.

See page 94 for solutions.

Related essay titles

Tionchar na meán cumarsáide – *The influence of the media*

Brú i saol na scoile – *Pressures of school life*

Ní thuigeann daoine fásta daoine óga – *Grown-ups don't understand young people*

Saol an duine óig – *The life of a young person.*

Is aoibhinn beatha an scoláire – *It's wonderful to be a student*

Bíonn saol an mhadaidh bháin ag daoine óga – *Young people have a great life*

Níl an córas oideachais oiriúnach do na daltaí – *The education system doesn't suit students.*

Aiste shamplach 3

An áit is ansa liom (My favourite place)

Bhuail cúpla smaoineamh mé nuair a léigh mé an teideal seo. Ciallaíonn an teideal an ceantar is fearr liom. Tá mórán áiteanna a thaitníonn go mór liom ach gan dabht is é Inis Mór an áit is ansa liom. Is **oileán** (1) é Inis Mór. Tá trí oileán in aice a chéile. Tugtar **na hOileáin** (2) Árann ar na hoileáin sin. Is é Inis Mór an t-oileán is mó díobh.

I mo thuairim is oileán **draíochta** (3) é. Tá Inis Mór suite in aice le **cósta na Gaillimhe** (4) Is **ceantar Gaeltachta** (5) é, mar sin **labhraítear Gaeilge** (6) ann. Chun **taisteal** (7) go dtí an t-oileán caithfear dul **ar an mbád farantóireachta** (8) nó ar eitleán. Nuair a bhíonn **drochaimsir** (9) ann bíonn sé deacair dul trasna. Is saol an-difriúil é saol na ndaoine ar an oileán. Is aoibhinn liom an ceantar. Tá sé **ciúin, síochánta agus suaimhneach** (10). Tá **faoiseamh** (11) le fáil ann mar a dúirt an file, Máirtín Ó Direáin. Ceapaim go bhfuil **tírdhreach an oileáin fíor-álainn** (12). Feictear **neart dúlra** (13) ann.

Tugann a lán **turasóirí** (14) cuairt ar an oileán mar tá a lán rudaí le feiceáil ann. Ar an gcéad dul síos tá 'Cathaoir Synge' ann, clocha **i gcruth** (15) cathaoireach. Deirtear gurb in an áit inar scríobh Synge an dráma 'Riders to the Sea'. **Is léir** (16) go bhfuair **an scríbhneoir cáiliúil** (17) seo **inspioráid** (18) ar an oileán.

Chomh maith leis sin is breá liom Dún Aonghus. **Aill** (19) ard álainn atá ann. I mo bharúil tá na **radhairc dochreidte** (20) ann. Nuair a bhíonn an aimsir grianmhar **mholfainn** (21) cuairt a thabhairt ar an oileán. Is féidir rothar a fháil **ar cíos** (22) ann. Sin í an tslí is fearr chun an t-oileán ar fad a fheiceáil.

Ina theannta sin [22] freastalaíonn na mílte daltaí scoile ar na **cúrsaí Gaeltachta** [23] ar an oileán i rith an tsamhraidh. Coláiste Uí Dhireáin is ainm don choláiste. Freastalaím ar an gcoláiste sin. Tá sé **thar cionn** [24]. Tá na múinteoirí sármhaith agus is iontach an **scléip** [25] is an spraoi a bhíonn againn. Tá **muintir an oileáin** [26] an-chairdiúil freisin. Cuireann siad **fáilte Uí Cheallaigh** [27] romhainn i gcónaí. Tuigim iad anois agus is aoibhinn liom a gcuid cainte. Foghlaimím **cúpla nath cainte** [28] nua gach samhradh. Mar shampla, cén chaoi a bhfuil tú? Tá an coláiste **ainmnithe as an** [29] **fhile cumasach** [31] Máirtín Ó Direáin. **D'éirigh Ó Direáin aníos** [32] ar Inis Mór. Rinneamar staidéar ar an dán 'Faoiseamh a gheobhadsa' ar scoil. Tuigim an dán nuair a smaoiním ar Inis Mór.

Ní féidir a shéanadh ach gur áit fíor-álainn é Inis Mór. Tá tú ábalta léim ar an mbád chun dul go dtí **an mhórthír** [33] agus cuairt a thabhairt ar **chathair na Gaillimhe** [34]. Mholfainn daoibh, **a léitheoirí** [35], **cuairt a thabhairt ar** [36] an áit iontach seo. Is **éalú** [37] é ó **rírá agus ó rúaille búaille** [38] na cathrach. Táim ag **tnúth go mór le** [39] dul ar ais go hInis Mór, an áit is ansa liom.

1.	oileán	island
2.	na hoileáin	the islands
3.	draíochta	magical
4.	cósta na Gaillimhe	the Galway coast
5.	ceantar Gaeltachta	Irish speaking area
6.	labhraítear Gaeilge	Irish is spoken
7.	taisteal	travelling
8.	ar an mbád farantóireachta	on the ferry
9.	drochaimsir	bad weather
10.	ciúin, síochánta agus suaimhneach.	quiet, peaceful and relaxed.
11.	faoiseamh	relief
12.	tírdhreach fíor-álainn	landscape
13.	neart dúlra	lots of nature
14.	turasóirí	tourists
15.	i gcruth	in the shape of
16.	is léir	it's clear
17.	an scríbhneoir cáiliúil	the famous writer

18.	inspioráid	inspiration
19.	aill	cliff
20.	radhairc dhochreidte	unbelievable views
21.	mholfainn	I would recommend
22.	ar cíos	for hire/rent
23.	ina theannta sin	as well as that
24.	cúrsaí Gaeltachta	Gaeltacht courses
25.	thar cionn	excellent
26.	scléip	fun
27.	muintir an oileáin	people of the island
28.	fáilte Uí Cheallaigh	big welcome
29.	cúpla nath cainte	couple of phrases
30.	ainmnithe as	named after
31.	file cumasach	gifted poet
32.	d'éirigh sé aníos	he grew up
33.	an mhórthír	the mainland
34.	cathair na Gaillimhe	Galway city
35.	a léitheoirí	readers
36.	cuairt a thabhairt ar	to visit
37.	éalú	escape
38.	rírá agus rúaille búaille	hustle & bustle
39.	tnúth go mór le	looking forward to

Crosfhocal: ceantar/áit/an Ghaeltacht

Trasna

3. focal eile ar nádúr
4. agus rírá
5. níl tú ar an oileán tá tú ar an _____
6. _____ tuath
8. briseadh amach
10. sos
12. craic
13. féach amach an fhuinneog ar an _____ dhochreidte
15. an tuath: an tír _____

Síos

1. ag dul go tír eile
2. bád paisinéirí: bád _____
7. daoine a théann ar cuairt chuig áit
9. Cathair na _____, san iarthar
11. Tá Dún Aonghus suite ar _____
14. rothar ar _____ ar feadh cúpla lá

See page 97 for solutions.

Related essay titles

Turas go dtí an Ghaeltacht – *A trip to the Ghaeltacht*
Ceantar a thaitníonn liom – *An area that I enjoy*
Mo cheantar féin – *My area*
An samhradh – *The summer*
An Ghaeilge – *The Irish language*
Is fiú saoire a chaitheamh in Éirinn – *It's worth holidaying in Ireland*
Taisteal agus laethanta saoire – *Travel and holidays*
Turasóireacht – *Tourism*
Bíonn siúlach scéalach – *The traveler has many stories to tell*
Leathnaíonn an taisteal aigne an duine – *Travel broadens the mind*
Is í Éire an tír is fearr – *Ireland is the best country.*

Aiste shamplach 4

An tIdirlíon i mo shaolsa (The Internet in my life)

Bhuail cúpla smaoineamh mé nuair a léigh mé an teideal seo. Tá leathanach Facebook ag gach duine inniu, nach mór. Cuirtear blaganna suas ar leathanaigh phearsanta. Ciallaíonn blag eolas faoi do shaol a chur suas ar an idirlíon. Thosaigh Facebook sa bhliain 2005 agus tá sé in úsáid anois go forleathan ar fud an domhain. Tá ríomhaire nó **ríomhaire glúine** (1) i ngach teach in Éirinn inniu, beagnach.

Is **leathanach cainte** (2) é ar **an idirlíon** (3). Is féidir leat pictiúir **a uaslódáil** (4) freisin. Ní féidir le duine ar bith ach amháin do chairde féachaint ar do leathanach. Gan dabht tá idir **bhuntáistí is mhíbhuntáistí** (5) ag baint le Facebook. Tá Facebook an-tábhachtach i mo shaol agus i saol a lán daoine óga. Cad a rinneamar roimh theacht Facebook? Níl tuairim agam. Téim ag scimeáil ar an idirlíon beagnach gach lá. **Ní fhéadfainn mo shaol a shamhlú gan** (6) Facebook.

I dtús báire, na buntáistí. Creidim go bhfuil Facebook **an-áisiúil** (7) mar ligeann sé duit labhairt le do chairde gan an teach a fhágáil. Tá sé **i bhfad Éireann níos saoire** (8) bheith ar an idirlíon ná ar an bhfón. Ciallaíonn sé, mar sin, nach mbíonn troid ná argóintí leis na tuismitheoirí **faoi bhillí!** (9)

Ar an dara dul síos, má tá duine de do chairde nó de do ghaolta **thar lear** (10) i bhfad ón mbaile bíonn tú ábalta iad **a leanúint** (11) ar shuíomh Facebook. Tá sé dochreidte, ach is féidir le daoine i Meiriceá labhairt le daoine in Éirinn **ar an bpointe boise** (12) tar éis **cúpla cnaipe a bhrú** (13). Mar shampla, má bhíonn tú tinn agus **sáite sa teach** (14) ar a laghad is féidir leat bheith **i dteagmháil le** (15) do chairde ar Facebook. Cabhraíonn Facebook agus **suíomhanna sóisialta** (16) eile leat bualadh le cairde nua agus labhairt go héasca le do chairde agus le do ghaolta.

Ach bíonn dhá thaobh ar gach scéal agus **faraor** (17), is iomaí míbhuntáiste a bhaineann le Facebook freisin. Cuir i gcás an **cur isteach ar** (18) do shaol pearsanta.

Uaireanta éiríonn le daoine nach bhfuil ar aithne agat do leathanach a fháil. Chomh maith leis sin is minic a scríobhtar **rudaí maslacha** (19) agus uafásacha ar an suíomh faoi dhaoine eile. Scaiptear **ráflaí** (20) agus scéalta faoi dhaoine gan aon seans acu iad féin a chosaint. Is **bulaíocht** (21) í sin agus tá sé fíordheacair stop a chur léi. Go minic téann an bhulaíocht **thar fóir** (22) agus **ó smacht** (23). Bíonn daoine **gruama agus in ísle bhrí** (24) mar gheall ar rudaí a scríobhann daoine eile fúthu ar Facebook. Tá **cosc ar** (25) Facebook in a lán scoileanna mar gheall ar bhulaíocht.

I mo thuairim tá Facebook **dainséarach** (26) freisin mar ní bhíonn a fhios agat i gcónaí cé leis a bhfuil tú ag caint. Gan dabht tá a lán daoine craiceáilte sa domhan. Caithfidh tú bheith **an-chúramach** (27) agus tú ar an idirlíon.

Gan dabht **cuireann** Facebook **isteach ar** (28) an staidéar agus níl sé sláintiúil tréimhsí fada a chaitheamh i do shuí os comhair an ríomhaire **in áit** (29) bheith amuigh faoin aer nó ag imirt spóirt.

Cinnte tá idir **bhuntáistí** (30) mhíbhuntáistí agus **ag baint le** (31) Facebook. Sílim féin gur **áis** (32) mhaith é má úsáidtear go cúramach é. Is faoin duine féin atá sé bheith **cúramach** (33). Táim chun imeacht anois agus labhairt le mo chairde ar Facebook!

1.	ríomhaire glúine	*laptop*
2.	leathanach cainte	*chat page*
3.	t-idirlíon	*the internet*
4.	uaslódáil	*to upload*
5.	buntáistí is míbhuntáistí	*advantages and disadvantages*
6.	Ní fhéadfainn mo shaol a shamhlú gan...	*I couldn't imagine my life without...*
7.	áisiúil	*handy*
8.	i bhfad Éireann níos saoire	*much cheaper*
9.	faoi bhillí	*about bills*
10.	thar lear	*abroad*
11.	a leanúint	*to follow*
12.	ar an bpointe boise	*immediately*
13.	cúpla cnaipe a bhrú	*pressing a few buttons*
14.	sáite sa teach	*stuck in the house*
15.	i dteagmháil le	*in contact with*
16.	na suíomhanna sóisialta	*the social sites*
17.	faraor	*unfortunately*
18.	cur isteach ar	*intrusion into*
19.	rudaí maslacha	*insulting things*
20.	ráflaí	*rumours*
21.	bulaíocht	*bullying*
22.	thar fóir	*over the top*
23.	ó smacht	*out of control*
24.	gruama agus in isle bhrí	*sad and depressed*
25.	cosc ar	*ban on*
26.	dainséarach	*dangerous*
27.	an-chúramach	*very careful*
28.	cuireann X isteach ar	*x bothers...*
29.	in áit	*instead of*
30.	buntáistí	*advantages*
31.	ag baint le	*connected with/to*
32.	áis	*facility*
33.	cúramach	*careful*

Related essay titles

Tionchar an ríomhaire ar shaol an duine – *Influence of the computer on a person's life*

Na meáin chumarsáide – *The media*

Drochthionchar an idirlín – *The bad influence of the internet*

An teicneolaíocht i saol an duine óig – *Technology in a young person's life.*

Past essay titles

2010:

Corn an Domhain sa sacar san Afraic Theas 2010 – *The World Cup in South Africa 2010*

An clár teilifíse is fearr liom – *My favourite TV show*

Cairde agus comharsana – *Neighbours and friends.*

2009:

Mo cheantar féin – *My area*

An tábhacht a bhaineann le caitheamh aimsire i saol an duine – *The importance of hobbies in a person's life*

An post ba mhaith liom amach anseo – *The job I'd like in the future.*

2008:

Bia folláin: an tábhacht a bhaineann leis i saol an duine – *Healthy food: the importance of it in life*

An phearsa phoiblí is mó a bhfuil meas agam air/uirthi – *A celebrity I respect*

Cluichí Oilimpeacha 2008 i mBéising – *The 2008 Olympic games in Beijing.*

(B) Scéal/eachtra – Story/incident

- One and a half A4 pages are required.
- An Scéal: You have a choice of two. In Scéal a hAon, you must write a story continuing on from a given opening line. In Scéal a Dó, you will be asked to write about an incident.
- Write the scéal/eachtra in An Aimsir Chaite.
- Include 15-20 phrases.
- Describe the weather at the start. See page 8–9.
- Include a variety of verbs, try to use An Briathar Saor if you're able to!
- Mention how you or other characters feel at different times in the story.
- Be sure that you have a strong beginning and end. See useful phrases.
- Be sure that you understand the opening line if you choose Scéal a hAon.
- You should spend 30-40 minutes on the scéal.

Handy phrases, useful verbs & vocabulary

Tús	Opening
Seo mar a tharla	This is what happened
Is maith is cuimhin liom	I remember it well
Seo mo scéal, creid é nó ná creid é!	This is my story, believe it or not!
Mise á rá leat	I'm telling you

Aimsir	Weather
Maidin nimhneach fuar a bhí ann	It was a bitterly cold morning
Bhí mé préachta leis an bhfuacht	I was frozen with the cold
Bhí an ghrian ag scoilteadh na gcloch	The sun was splitting the stones
Ní raibh scamall sa spéir gheal ghorm	There wasn't a cloud in the bright blue sky

Mothúcháin	Feelings
Bhí mé ar mhuin na muice	I was happy
Bhí mé ar scamall a naoi	I was on cloud nine
Ní raibh cíos cás ná cathú orm	There wasn't a bother on me
Bhí mé ar neamh	I was in heaven
Bhí mé ar mo sháimhín só	I was delighted
Bhí mé sona sásta	I was satisfied
Bhí gliondar/lúcháir/aoibhneas/áthas an domhain orm	I was happy/thrilled/delighted
Bhí saol an mhadaidh bháin agam	I had a great life
Bhí brón/díomá an domhain orm	I was disappointed/sad
Bhí mé in umar na haimléise	I was in the depths of despair
Bhí mé in ísle brí	I was depressed
Bhí mé croíbhriste	I was heartbroken
Ní raibh mé pioc sásta	I wasn't one bit satisfied
Bhí mé ar deargbhuile	I was raging
Bhí mé crosta cancrach	I was cross and cranky
Bhí frustrachas orm	I was frustrated

An maidin	The morning
Dhúisigh mé go moch	I woke up early
Nigh mé m'aghaidh, chuir mé mo chuid éadaí orm, síos an staighre liom	I washed my face, I put on my clothes, I went downstairs
Thug mé aghaidh ar an gcistin	I headed for the kitchen
D'alp mé siar mo bhricfeasta blasta, thug mé barróg/póg do mo thuistí	I gobbled up my tasty breakfast, I gave my parents a hug/kiss
Bhrostaigh mé amach an doras	I hurried out the door

Lár an scéil	Middle of story
Creid é nó ná creid é	Believe it or not
Ansin baineadh geit asam	Then I got a fright
ar luas lasrach	like lightning
ar nós na gaoithe	like the wind
Scread mé in ard mo chinn is mo ghutha	I screamed at the top of my voice
Bhí dath an bháis orm	I was as pale as a ghost
Ní raibh mé ar fónamh	I wasn't well
Bhí mé ag bárcadh allais	I was sweating heavily
Thit an lug ar an lag agam	I was disillusioned
Thit mé i laige	I fainted
Bhí mé gan aithne gan urlabhra	I was unconscious
Tháinig mé chugam féin	I recovered
de réir a chéile	gradually
áfach	however
mar bharr ar an donais	to make matters worse
Lig mé béic asam	I roared
gan a thuilleadh moille	without further delay
gan choinne	without warning
go tobann	suddenly
Bhí mé i gcruachás/i bponc	I was in a fix/a dilemma
Níor chreid mé mo shúile	I didn't believe my eyes
Bhain sé an anáil díom	It took my breath away
Cad a dhéanfainn?	What would I do?
Cuireadh fios ar na seirbhísí éigeandála	The emergency services were called
Buíochas le Dia	Thank God
Tógadh mé go dtí an Roinn Timpiste agus Éigeandála	I was brought to the A&E Department

Críoch	Closing phrases
Bhí an t-ádh ceart liom an lá sin	I was very lucky that day
Tá cuimhní an lae sin greanta i m'intinn	The memories of that day are engraved on my mind
Ní dhéanfaidh mé dearmad go deo ar an lá/oíche sin	I'll never forget that day/night
D'fhoghlaim mé ceacht ceart an lá/oíche sin	I learnt a right lesson that day/night
Thug siad íde béil dom	They gave out to me
Cuimhneoidh mé ar an oíche sin go lá mo bháis	I'll remember until the day I die
Bhí mé tuirseach traochta/caite amach	I was wrecked tired
Chodail mé go sámh an oíche sin	I slept soundly that night

Sample stories

Scéal samplach 1

Timpiste i lár stoirme (accident during a storm)

key point

Note and learn the phrases in bold print.

Dé hAoine a bhí ann, i lár an gheimhridh. Bhí an scoil críochnaithe don deireadh seachtaine agus bhí mé sona sásta. Bhí **puth gaoithe ag séideadh** (1) agus bhí dath liath ar an spéir. Bhí an tráthnóna **chomh dubh le pic** (2).

Bhí mé ar mhuin na muice, i mo luí ar an tolg os comhair na teilifíse, agus an seomra go deas **teolaí** (3). Dúirt mo dheirfiúr liom go raibh an scannán is fearr liom **díreach tagtha amach** (4) ar DVD. Bhí mé ar tí dul go dtí an siopa chun an DVD a fháil **ar cíos** (5). Bhí mo mham chun **síob a thabhairt dom** (6) go dtí an siopa.

Faraor nuair a d'oscail mé an doras **réab an ghaoth** (7) isteach. **Ba bheag nár tógadh den talamh mé** (8). **Chonaic mé splanc tintrí agus chuala mé toirneach** (9). Bhí Mam **amhrasach** (10) faoin turas ach **d'impigh mé uirthi** (11) mé a thiomáint go dtí an siopa. **Chuamar sa seans** (12) **in ainneoin na drochaimsire** (13). Rug mé ar mo gheansaí mór agus ar mo chóta báistí agus amach an doras linn.

Bhí mé **préachta leis an bhfuacht** (14) ar an mbealach chuig an siopa. Bhí an aimsir **fiáin** (15). Phléasc an spéir agus thosaigh sé ag stealladh báistí. Mise á rá leat **nach bhfaca mé aimsir chomh holc leis riamh roimhe** (16). Bhí **an ghaoth ina fathach** (17) mór ag séideadh go torannach.

Thiomáineamar go mall an oíche sin. Bhí sé an-deacair aon rud a fheiceáil ar an mbóthar os ár gcomhair. Go tobann chuala mé **tuairt** (18) mhór. Dia ár sábháil, cheap mé go rabhamar marbh. Bhí eagla orm mo shúile a oscailt. Nuair a d'oscail mé mo shúile, chonaic mé mo mham ar an taobh eile den bhóthar. Bhíomar tar éis crann a bhualadh, crann a thit ar an mbóthar sa stoirm. Bhí mo lámh **ag doirteadh fola** [19]. Nuair a d'fhéach mé ar mo lámh **thit mé i laige** [20]. Bhí mo cheann **ag scoilteadh leis an bpian** [21] freisin. Mo mhamaí bhocht, bhí sí ar thaobh an bhóthair **gan aithne gan urlabhra** [22]. Buíochas le Dia, tháinig comharsa síos an bóthar. Ghlaoigh sí ar **na seirbhísí éigeandála** [23] agus tógadh muid go dtí an t-ospidéal. Dhúisigh mé san otharcharr agus mé croíbhriste. **Cad a dhéanfainn gan mo mham** [24]? Cá raibh sí? Phléasc mé amach ag caoineadh gan stad. **Bhí an locht orm** [25] ag cur brú ar mham chun mé a thabhairt go dtí an siopa DVDanna.

San ospidéal **rinneadh scrúdú orm** [26] agus **tugadh instealladh dom** [27]. Bhí an dochtúir ciúin cneasta agus bhí an t-altra cabhrach agus cairdiúil gan dabht.

Chuir siad mé **ar mo sháimhín só** [28] arís. Bhí Mam sa bharda thuas staighre agus **bhí sí ar fónamh** [29], buíochas le Dia.

Dúirt an dochtúir go raibh **an t-ádh dearg linn** [30]. Bhí mo lámh briste agus bhí mo **chorp brúite go dona** [31]. Mhothaigh mé amhail is gur bhuail traein mé. Thóg mé táibléid don phian... **faoiseamh faoi dheireadh** [32]!

Tháinig mo dhaid agus mo dheirfiúr ar cuairt chugainn san ospidéal. Bhí aoibhneas an domhain orm. **Scaoileadh** [33] an bheirt againn abhaile tar éis seachtaine, **buíochas le Dia** [34]. Gan dabht ní dhéanfaidh mé dearmad ar oíche na stoirme sin go lá mo bháis.

1.	puth gaoithe ag séideadh	a puff of wind blowing
2.	chomh dubh le pic	pitch black
3.	teolaí	cosy
4.	díreach tagtha amach	had just came out
5.	ar cíos	for rent
6.	síob a thabhairt dom	to give me a lift
7.	réab an ghaoth	the wind ripped
8.	Ba bheag nár tógadh den talamh mé.	I was almost lifted from the ground.
9.	Chonaic mé splanc tintrí agus chuala mé toirneach.	I saw a flash of lightning and heard thunder.
10.	amhrasach	doubtful
11.	d'impigh mé uirthi	I begged her
12.	Chuamar sa seans	we took the chance
13.	in ainneoin na drochaimsire	despite the bad weather
14.	préachta leis an bhfuacht	freezing cold
15.	fiáin	wild
16.	Ní fhaca mé a leithéid riamh.	I never saw the like of it.
17.	an ghaoth ina fathach	the wind was a giant

18.	tuairt	crash/bang
19.	ag doirteadh fola	bleeding heavily
20.	thit mé i laige	I fainted
21.	ag scoilteadh leis an bpian	splitting with pain
22.	gan aithne gan urlabhra	unconscious and speechless
23.	na seirbhísí éigeandála	the emergency services
24.	Cad a dhéanfainn gan mo mham?	What would I do without Mam?
25.	Bhí an locht orm	It was my fault
26.	rinneadh scrúdú orm	I was examined
27.	tugadh instealladh dom	I was given an injection
28.	ar mo sháimhín só	I was at ease
29.	bhí sí ar fónamh	she was well
30.	an t-ádh dearg linn.	we were really lucky
31.	chorp brúite go dona	body was badly bruised
32.	faoiseamh faoi dheireadh!	relief at last!
33.	Scaoileadh í	She was released
34.	buíochas le Dia	thank God

Timpiste: aistrigh go Gaeilge

1. My mother gave me a lift in her cosy new car.
2. The flash of lightning and crash of thunder frightened my dog.
3. I rented a new DVD that had just came out.
4. She told me that it was freezing out. I had no coat but I chanced it.
5. What would I do without the emergency services?
6. Mary almost fell to the ground but I begged her to continue on in the pitch black night.
7. She was at ease again because she felt well again.
8. He was bleeding heavily, I'd never seen the like of it before.
9. I was examined and given an injection after I fainted.
10. I was very lucky because I wasn't badly bruised and I was released, thank God.

See page 95 for solutions.

Scéal samplach 2

Eachtra ag ceolchoirm mhór a bhí ann le déanaí (an incident at a concert you recently attended)

An rud is annamh is iontach [1] a deir an seanfhocal agus **an gcreidfeá** [2] é nuair a deirim leat nach raibh mé riamh ag ceolchoirm go dtí an lá sin? Bhí mé **ar bís, ag tnúth leis an oíche** [3] seo le trí mhí, agus bhí sí tagtha ar dheireadh. Bhí mé ar mo shlí go dtí Féile Oxegen i mBaile an Phuinse/Amharclann an O$_2$ chun mo laochra ceoil, Kings of Leon, a fheiceáil.

Bhí mé cúig bliana déag d'aois ag an am agus fuair mé an ticéad órga do mo bhreithlá i mí Feabhra. Bhí cara liom a bhí chomh **craiceáilte** [4] faoi na Ríthe agus a bhí mé féin agus fuair sí ticéad freisin. Anois bhíomar beirt ag dul go dtí an cheolchoirm ba mhó in Éirinn. Fuaireamar **síob ó** [5] mo mháthair chomh fada le himeall chathair Bhaile Átha Cliath agus ansin thógamar an Luas/bus/tacsaí/traein go dtí _____. **Ní gá dom a rá** [6] go raibh **sceitimíní áthais** [7] orainn agus muid inár suí ar an traein sin le gach duine eile a bhí ag dul go dtí an cheolchoirm chéanna.

Shroicheamar an stáisiún traenach ar a sé a chlog agus shiúlamar i dtreo Bhaile an Phuinse. Bhí gach duine **in ardghiúmar** [8] agus bhí an aimsir linn, fiú. Bhí an ghrian ag scoilteadh na gcloch agus bhí puth deas gaoithe ag séideadh. Ag an ngeata thaispeáin mé mo thicéad agus isteach liom. **Ní dhéanfaidh mé dearmad** [9] ar an atmaisféar leictreach a mhothaigh mé ar dhul isteach sa pháirc dhraíochta sin dom **go lá mo bháis** [10]. Bhí an áit dubh le daoine agus gach duine ag canadh agus ag preabadh/léim le háthas. Ar a seacht a chlog tháinig an banna ceoil amach ar an stáitse agus **is beag nár phléasc an slua** [11] leis an m**bualadh bos** [12] mór a tugadh dóibh. Nuair a bhí gach duine ar an stáitse thosaigh siad ag canadh 'The Bucket'. Bhí sceitimíní áthais ar an slua. Chuaigh an lucht féachana i bhfiáin.

Eachtra: Go tobann mhothaigh mé lámh ar mo mhála. Sciob duine éigin uaim é. Istigh ann bhí mo sparán airgid agus mo thicéad bus. Bhí mé ar deargbhuile. Chuaigh mé féin agus mo chara chuig beirt Gharda chun tuairisc a thabhairt dóibh ach níor cheap mé go raibh aon seans agam an mála a fháil ar ais. Bhí mé in ísle brí. Bhí gach duine timpeall orm ag léim agus ag screadach ar nós cuma leo. Gheall mo chara go dtabharfadh sé airgead don bhus dom. Bhí mé ar mo sháimhín só arís, níorbh fhiú smaoineamh faoi.

Amhrán i ndiaidh amhráin a chan siad agus an slua ag canadh in éineacht leo **in ard a ngutha** [13]. Bhí gach focal de gach amhrán ar eolas acu agus cheap mé **go raibh mé tar éis bás a fháil agus dul ar neamh** [14], bhí mé chomh sona sásta liom féin. Faraor, tháinig an t-amhrán deireanach agus **in ainneoin** [15] an bhuailte bois go léir d'fhág na réaltaí ceoil an stáitse.

Bhí **gliondar inár gcroíthe** [16] agus muid ar an tslí abhaile. Bhí na hamhráin go léir fós ag dul timpeall i m'aigne. Smaoinigh mé siar ar an oíche den scoth a bhí agam. Bhí **coinne** [17] againn le mo chol ceathrar i lár an ionaid champála agus bhíomar chun an oíche a chaitheamh inár bpuball. Buíochas le Dia, bhí an aimsir linn! D'fhanamar inár ndúiseacht go déanach an oíche sin **ag síorchaint** (18) faoin gceolchoirm iontach amuigh faoin aer i mBaile an Phuinse. Chuamar siar ar gach rud a tharla ón uair a d'fhágamar an teach sa bhaile go dtí gur chan an grúpa an nóta deireanach. Fanfaidh an oíche sin i m'intinn agus i mo chuimhne go deo na ndeor. Na Kings of Leon abú!

1.	an rud is annamh is iontach	what's rare is wonderful
2.	an gcreidfeá?	would you believe?
3.	ar bís, ag tnúth leis an oíche	excited, dying for the night
4.	craiceáilte	cracked, mad about
5.	síob ó	a lift from
6.	ní gá dom a rá	I don't need to say
7.	sceitimíní áthais	absolutely thrilled
8.	in ardghiúmar	in great humour
9.	ní dhéanfaidh mé dearmad	I won't forget
10.	go lá mo bháis	till my dying day
11.	is beag nár phléasc an slua	the crowd almost exploded
12.	bualadh bos	applause
13.	in ard a ngutha	at the tops of their voices
14.	go raibh mé tar éis bás a fháil agus dul ar neamh	that I had died and gone to heaven
15.	in ainneoin	despite
16.	gliondar inár gcroíthe	gladness in our hearts
17.	coinne	arrangement to meet
18.	ag síorchaint	talking constantly

Cleachtadh – test yourself!

Ceap scéal a mbeadh an giota seo thíos oiriúnach mar thús leis:

'Bhí mé ag tnúth go mór leis an lá a bhí romham...'

Scéal samplach 3

Bulaíocht ar scoil (bullying in school)

Úsáid na focail ar lch 85 chun an scéal a chríochnú.

Tús: Is cuimhin liom go maith é, ní raibh mé ach trí bliana déag d'aois sa chéad bhliain ar an meánscoil. Bhí mé sona sásta i mo scoil nua. Bhí grúpa mór cairde agam ach ní bhíonn i rud ar bith ach seal (*nothing lasts forever*).

Ní dhéanfaidh mé dearmad ar an eachtra amháin go lá mo bháis. Lá nimhneach gaofar a bhí ann agus bhí mé préachta leis an bhfuacht. Bhí mé ar mo shlí go dtí mo chéad rang eile. Bhrostaigh mé amach go ___ __ ____ [1]. Is ansin a tharla sé.

Lár: Bhuail mé le Cáit. Cáit Cruálach an leasainm a bhí againn uirthi, creid é nó ná creid é! Níor chreid mé mo shúile. Bhí an __ ___ _____ __ ____ [2] in ard a gutha. Bhí sí ____ __ [3]. Níor cheadaigh sí dom siúl ar aghaidh. Thosaigh sí _ _____ __ [4] mo ghruaig agus dúirt sí go raibh mé ramhar.

Cad a dhéanfainn? Bhí mé i m'aonar agus bhí grúpa de chairde Cháit in éineacht léi, grúpa _____ [5]. Bhí mo phort seinnte (*I had to face the music*). Ní raibh aon __ __ [6]. Bhí a fhios agam go raibh mé _ ____ [7]. Bhuail Cáit mé ar mo cheann __ ___ __ ___ [8]. Thit mé i mo chnap ar an talamh. Bhí fuil ag sileadh ó mo lámh.

___ ___ [9] m'éide scoile agus ___ ___ [10] mo lón agus mó chás pinn luaidhe nua. Bhí mé ar deargbhuile.

Rinneadh an _____ [11] orm don tseachtain ar fad. Bhí Cáit agus a cairde ag fanacht liom gach lá ag geata na scoile. Bhí mé _ __ _ _____ [12]. Bhí Cáit cruálach agus___ [13], gan dabht thaitin na _____ _____ [14] léi. Bhí mé croíbhriste agus bhí mé __ _____ [15] ón scoil go minic. Ní raibh mé ábalta an drochíde a sheasamh.

Buíochas le Dia, tráthnóna amháin chonaic ___ ____ [16] Cáit ag magadh fúm agus grúpa cailíní ag ____ ___ _____ __ [17]. Thug sí íde béil dóibh. Thug sí ___ _____ [18] dom mo stuif a phiocadh suas. Ghlaoigh an príomhoide ar na cailíní. Thug sí ____ [19] dóibh, bhí siad _ ____ [20] go ceann trí lá agus thug sí __ ____ [21] dóibh. Ní raibh cead acu teacht in aice liom arís. Fuair tuismitheoirí Cháit ___ _____ [22] freisin.

Críoch: ____ [23] faoi dheireadh. D'fhoghlaim mé ceacht ón eachtra sin, gan a bheith ag siúl i m'aonar timpeall na scoile agus é a rá le múinteoir nó leis an maor scoile má bhíonn bulaíocht ar siúl. Ghortaigh na cailíní sin mé an uair sin ach anois táim ar mhuin na muice arís. Gan dabht beidh an eachtra bulaíochta sin greanta i m'intinn go deo na ndeor.

troideanna foréigneacha	*violent fights*
íde béil	*giving out/scolding*
ar fionraí	*suspended*
glao gutháin abhaile	*phone call home*
pionós	*punishment*
as láthair	*absent*
borb	*aggressive*
lámh chúnta	*helping hand*
maor scoile	*school prefect*
ag síneadh a méara chugam	*pointing their fingers at me*
faoiseamh	*relief*
bulaíocht	*bullying*
clós na scoile	*to the schoolyard*
ag magadh fúm	*mocking me*
i bponc	*in a fix*
in umar na haimléise	*in the depths of despair*
ghoid siad	*they stole*
ag spochadh as	*mocking/slagging*
bulaithe	*bullies*
dul as	*way out*
stróic siad	*they tore/ripped*
bulaí mór millteach ag béiceadh	*a big bully roaring*
gan taise gan trua	*without mercy*

See page 95 for solutions.

Scéal samplach 4

I m'aonar sa teach (on my own in the house) (scrúdú 2010)

Ceap scéal a mbeadh an giota seo oiriúnach mar thús leis:

'Ní raibh sa bhaile oíche Dé hAoine ach mé féin...'

Ní raibh sa bhaile oíche Dé hAoine ach mé féin. Bhí mo dheirfiúracha ag an bpictiúrlann, mo mháthair ag imirt biongó, agus bhí m'athair faoin tuath ar ghnó éigin.

Tar éis an dinnéir rinne mé m'obair bhaile agus shuigh mé fúm **go teolaí** [1] cois tine agus leabhar á léamh agam. Ní raibh fuaim le cloisteáil ach **corrghluaisteán** [2] ag tiomáint ar an mbóthar amuigh. Oíche shíochánta...

Go tobann gheit mé agus d'éist mé go cúramach. Bhí duine éigin thuas staighre! B'shin an torann arís. Bhí mé ar tí rith amach chuig Seán Ó Riain, ár gcomharsa bhéal dorais. Ach ansin, mura mbeadh ann ach mo chuid **samhlaíochta** [3], bheinn i mo **cheap magaidh**! [4]

Phreab mé i mo shuí, bhain díom mo bhróga, agus rug mé greim an duine bháite ar mhaide gailf mo Dhaid. Suas an staighre liom ar mo bharraicíní, agus mo chroí i mo bhéal. Stad mé agus chuir cluas le héisteacht orm féin. Fothram ó mo sheomra codlata féin! Agus mo ríomhaire glúine nua istigh ann, gan trácht ar mo bhróga nua peile agus mo chnuasach cluichí ríomhaire! Fearg a tháinig orm anois in áit na heagla. Suas liom na céimeanna eile agus isteach liom go deifreach sa seomra agus fonn troda orm!

Stad mé, agus lig mé scairt gháire asam. Cat mór a bhí i lár mo leapa agus é cuachta go compordach chun codlata! Is amhlaidh a d'fhág mo mháthair an fhuinneog oscailte, agus ó tharla an oíche fuar crua, mheas mo chat breá nár mhiste teacht isteach mar a raibh teas agus compord! Nuair a chonaic an cat mé amach an fhuinneog leis mar a bheadh urchar as gunna!

Gan amhras, ní dúirt mé dada le duine ar bith faoin 'ngadaí': rómhaith a bhí a fhios agam cad a déarfaidís. Ní dhéanfaidh mé dearmad ar an 'ngadaí' sin go deo!

Related scéal titles:

1.	go teolaí	*snugly, comfortably*
2.	corrghluaisteán	*the occasional car* (corrlá: *the odd day, now and again;* corruair: *occasionally*)
3.	samhlaíocht	*imagination*
4.	ceap magaidh	*a laughing-stock*

Geit a baineadh asam – *A fright I got*

Lá nach ndéanfaidh mé dearmad air– *A day I'll never forget*

Lá a fhanfaidh i mo chuimhne go deo– *A day I'll remember forever*

Ceolchoirm a thaitin liom– *A concert I enjoyed*

Eachtra a tharla sa chathair– *An incident in the city*

Eachtra a tharla faoin tuath– *An incident in the country.*

Past story titles

2010:

Eachtra ag siopadóireacht – *An incident while shopping*

Cóisir breithlae nuair a bhí mo thuismitheoirí as baile – *A birthday party when my parents were away.*

2009:

Ceap scéal a mbeadh an giota seo oiriúnach mar thús leis...

Níor shíl mé go dtiocfadh sé/sí ach ansin chuala mé... – *I did not think it would but then I heard...*

Eachtra a tharla i lár stoirme – *An incident that happened during a storm.*

2008:

Ceap scéal a mbeadh an giota seo oiriúnach mar thús leis...

Ar chuala tú an fothram (*sound*) sin, a Sheáin? Céard ba chúis leis? Níl a fhios agam, a chara, ach tá sé chomh maith dúinn an scéal a fhiosrú... *Did you hear that sound, Seán? What caused it? I don't know, my friend, but we need to investigate it...*

Eachtra a tharla ar laethanta saoire thar sáile an bhliain seo caite – *An incident that happened on holidays abroad last year.*

(C) Díospóireacht/óráid – Debate/speech

See exam tips on page 59.

exam focus

The debate and the essay are very similar. In the Debate you need to address the audience at the beginning and end.

Tús na díospóireachta: ag labhairt leis an lucht éisteachta

A chathaoirligh, a mholtóirí, a lucht an fhreasúra agus a lucht éisteachta – *Chairperson, judges, opposition and audience*

Táim ar son/i gcoinne an rúin seo – *I'm for/against the motion*

Ar chúiseanna a leagfaidh mé amach anseo – *For reasons I will explain here*

Deireadh na díospóireachta: Tá súil agam go n-aontóidh sibh leis na pointí a rinne mé. Go raibh maith agaibh as ucht bhur gcuid ama agus as éisteacht liom – *I hope you will agree with the points I have made. Thank you for your time and for listening to me.*

Sample debates/arguments

Díospóireacht shamplach 1

Is cuma linn faoin timpeallacht (We don't care about the environment)

Tús: A chathaoirligh, a mholtóirí, a lucht an fhreasúra agus a lucht éisteachta. Is mise Eilís Ní Riain agus táim ar son an rúin seo gur cuma linn faoin timpeallacht.

Ciallaíonn an rún nach dtugaimid go leor **aire don timpeallacht** [1]. Is é an timpeallacht **an nádúr** [2], **na hainmhithe** [3], **na lochanna** [4], **na haibhneacha** [5], **an fharraige** [6] agus gach rud atá timpeall orainn faoin tuath. Maraítear an iomarca ainmhithe agus éan de bharr **dramhaíl feirme** [7] agus ola a dhoirtear isteach sna haibhneacha agus san fharraige.

Mar an deir an file Máire Áine Nic Ghearailt sa dán *An tÓzón.*

'Tá mé ag rá leat aire a thabhairt do **do chomharsanacht** [8], mar cónaíonn tú ann'. Is fíor é sin mar nílimid ag tabhairt aire cheart don timpeallacht agus mar gheall air sin tá **poll sa chiseal ózóin** [9]. Táimid **i mbaol** [10] anois mar gheall ar na drochrudaí atá déanta againn.

Lár: Ar an gcéad dul síos féach ar an méid bruscair a bhíonn caite timpeall na tíre, go háirithe ar na sráideanna tar éis na gclubanna oíche gach deireadh seachtaine. Cuireann sé déistin orm nuair a fheicim an bruscar taobh amuigh de na siopaí sceallóga. Is bocht an scéal é. Gan dabht is cuma linn faoi timpeallacht. Is fíor go bhfuil **comórtas na mBailte Slachtmhara** [11] ann ach i ndáiríre ní bhíonn gach baile páirteach sa chomórtas sin. Ar an dara dul síos bíonn an iomarca **guma choganta** [12] ar na sráideanna freisin. Is fuath liom é sin a fheiceáil. Uaireanta sna seomraí ranga cuirtear an guma coganta faoi na boird. Bíonn sé **lofa** [13] nuair a chuireann tú lámh air. Chomh maith leis sin **níl go leor ionaid athchúrsála** [14] ann. Caithfidh **an rialtas** [15] níos mó ionad beir leat a chur ar fáil.

Gan dabht úsáidimid **an iomarca fuinnimh** [16] freisin. Tá gach duine ag caint anois faoin 'lorg carbóin' an méid fuinnimh a úsáideann an duine aonair. Caithfimid **soilse a mhúchadh** [17] agus gan an iomarca uisce a úsáid. Tá a fhios ag madraí an bhaile go bhfuil an aimsir ag athrú **de bharr an téimh dhomhanda** [18]. Táimid ar fad **freagrach as** [19] sin. Caithfimid ár súile a oscailt agus an fhadhb a réiteach. Tá an iomarca **tranglam tráchta** [20] ar na bóithre. Is **dream** [21] an-leisciúil muid freisin, ní shiúlann ná ní rothaíonn aon dalta i mo rangsa ar scoil. Ar ndóigh úsáidimid an carr rómhinic. **Truaillíonn sceithphíopaí** [22] na gcarranna an t-aer. Deirtear go bhfuil **baint ag an truailliú seo le plúchadh** [23].

Críoch: Caithfimid go léir seasamh a ghlacadh i gcoinne an bhruscair. Caithfear **fíneáil agus pionóis a ghearradh** [24] orthu. Fúinn féin atá sé.

Mar fhocal scoir tá **caomhnú** [25] na timpeallachta ríthábhachtach agus **níl aon tinteán mar do thinteán féin** [26]!

1.	aire don timpeallacht	*care of the environment*
2.	an nádúr	*nature*
3.	na hainmhithe	*the animals*
4.	na lochanna	*the lakes*
5.	na haibhneacha	*the rivers*
6.	an fharraige	*the sea*
7.	dramhaíl feirme	*farm waste*
8.	do chomharsanacht	*your community/neighborhood*
9.	poll sa chiseal ózóin	*hole in the ozone layer*
10.	i mbaol	*at risk/in danger*
11.	comórtas na mBailte Slachtmhara	*the Tidy Towns competition*
12.	guma coganta	*chewing gum*
13.	lofa	*disgusting*
14.	níl go leor ionad athchúrsála	*there are not enough recycling centres*
15.	an rialtas	*the government*
16.	an iomarca fuinnimh	*too much energy*
17.	soilse a mhúchadh	*turn off lights*
18.	de bharr an téimh dhomhanda	*because of global warming*
19.	freagrach as	*responsible for*
20.	tranglam tráchta	*traffic jams*
21.	dream	*people*
22.	truaillíonn sceithphíopaí	*exhaust pipes pollute*
23.	baint ag an truailliú seo le plúchadh	*link between pollution and asthma*
24.	fíneálacha agus pionóis a ghearradh	*to impose fines and penalties*
25.	caomhnú	*preservation*
26.	níl aon tinteán mar do thinteán féin!	*there's no place like home!*

Cleachtadh

Scríobh an díospóireacht ar son nó in aghaidh an rúin seo:

Fadhb an bhruscair...is orainn atá an locht – *The litter problem is our own fault.*

Related titles

Comórtas na mBailte Slachtmhara – *The Tidy Towns competition*

Is cuma linn faoin imshaol (timpeallacht) – *We don't care about the environment*

Fadhbanna i mo cheantar féin – *Problems in my area*

Is beag meas atá ag daoine ar an timpeallacht – *People have little regard for the environment.*

Past debate titles

2010:

An iomarca béim ar spóirt sa scoil – *Too much emphasis on sport in schools*

Ba cheart deireadh a chur leis an obair bhaile – *Homework should be banned.*

2009:

Is crá croí é an fón póca – *The mobile phone is a torment*

Áit ghránna í Éire go déanach san oíche ag an deireadh seachtaine – *Ireland is an ugly place at night at the weekend.*

2008:

Ní thugann daoine fásta dea-shampla do dhaoine óga sa lá atá inniu ann – *Adults don't give good example to young people today*

Tugaimid aire mhaith don timpeallacht in Éirinn – *We take good care of the environment in Ireland.*

(D) An tAlt – Article

See pages 59–62 of this chapter for tips.

Sample articles

(i) Tuairisc faoi **thuras scoile** (*school tour*)

(ii) Léirmheas (*review*) ar **scannán/chlár teilifíse**-Simpsons

(iii) **Bhí tú ar thuras scoile le déanaí, agus iarradh ort <u>alt</u> a scríobh d'iris na scoile faoi. Scríobh an t-alt a chuirfeá chuig eagarthóir na hirise.**

Alt samplach 1

Tuairisc faoi thuras scoile (An account of a school tour)

Bhain mé an-taitneamh go deo as laethanta saoire na Cásca seo caite. Chuaigh daichead duine as an tríú bliain ar thuras scoile go dtí an mhór-roinn. D'fhágamar an scoil oíche Déardaoin ar a seacht. Bhí turas trí uair an chloig le déanamh againn go dtí Ros Láir. Ní

raibh cíos cás ná cathú orainn, mar ba é seo an chéad uair don chuid is mó againn a bheith ag dul thar lear. Bhí tiománaí an bhus an-lách ar fad, mar sheinn sé gach DVD a d'iarramar air. Níor mhothaíomar an turas rófhada in aon chor, agus shroicheamar Ros Láir timpeall leathuair tar éis a deich.

Cuireadh moill dhá uair an chloig orainn i Ros Láir, toisc nach raibh long Le Havre tagtha isteach go fóill. Bhí orainn seasamh taobh amuigh go dtí go raibh sé in am dúinn dul ar bord. Geallaimse duit go rabhamar tuirseach traochta agus sinn ag dul ar bord ar a ceathrú chun a haon ar maidin. Ach nuair a chualamar go mbeadh dioscó ar siúl go dtí a dó a chlog thángamar chugainn féin go tapa.

Chuamar caol díreach go dtí na cábáin agus chuireamar éadaí nua orainn. Bhí oíche bhreá againn, agus chuamar a chodladh roimh a trí ar maidin.

Bhí an fharraige chomh mín le gloine an lá dár gcionn. Bhí slua mór óganach ó scoileanna éagsúla ar bord, agus chuireamar aithne ar a lán acu. Ní fhacamar an ceathrar múinteoirí a bhí i mbun ár ngrúpa ach corruair i rith an lae. Bhíomar sona sásta!

Bhí sé a dó a chlog ar maidin arís nuair a shroicheamar Le Havre. Bhí cóiste ag fanacht linn ansin chun sinn a thógáil go Páras. Bhí sé a cúig a chlog nuair a shroicheamar an t-óstán i bPáras. Ní raibh fonn ceoil ar aon duine ar an mbealach, mar bhíomar go léir spíonta leis an tuirse tar éis an turais farraige. Bhíomar le turas a dhéanamh i gcathair Pháras. Cé go rabhamar an-tuirseach go deo, níor mhaith linn an turas seo a chailliúint. Agus b'fhiú go mór é.

Chonaiceamar radhairc mhóra na cathrach, mar shampla Túr Eiffel agus Ardeaglais Notre Dame. Bhí lón againn i Montmartre agus chuamar inár gcodladh go luath an oíche sin.

Ar feadh na seachtaine ina dhiaidh sin ní raibh tuirse ar bith ar aon duine. Chaitheamar dhá lá i bPáras, agus chuamar go baile mór san Ísiltír darb ainm Valkenburg. Bhí an áit sin go hálainn ar fad. Bhí na daoine ann an-lách agus bhí gach cineál caitheamh aimsire ann de ló is d'oíche. Chuamar ar thuras lae as sin go dtí an Ghearmáin. Bhíomar i gcathracha Köln agus Bonn. Thugamar cuairt ar áiteanna stairiúla agus ar chúpla monarcha nua-aimseartha.

Chaitheamar an chuid eile den tseachtain i Valkenburg. Bhain gach duine taitneamh as an turas. Ní rabhamar ag iarraidh dul abhaile! Ach bhí orainn filleadh ar Le Havre ar an Aoine dár gcionn. Bhí brón orm go raibh an turas ag druidim chun deiridh.

Bhí an turas farraige go Ros Láir taitneamhach, cé go raibh an chéad leath beagán garbh. Bhí tinneas farraige ar chúpla duine, ach ní raibh mé féin tinn. Shroicheamar an scoil go déanach oíche Shathairn. Bhíomar go léir agus an ceathrar múinteoir sásta leis an turas, agus shocraíomar go ndéanfaimis arís é an bhliain seo chugainn. Ach an bhféadfainn cúig chéad euro a iarraidh ar mo thuismitheoirí arís?

Mholfainn (*I'd recommend*) an turas scoile do gach dalta. Bhain muid idir thaitneamh is tairbhe as, gan aon dabht.

Foclóir

an-taitneamh go deo	great enjoyment
thar lear	abroad
an-lách	very kind
seomra feithimh	waiting-room
geallaimse duit	I can assure you
caol díreach	directly
chomh mín le gloine	as smooth as glass
chuireamar aithne ar	we got to know
tuirseach traochta	tired and weary
roimh ré	beforehand
b'fhiú go mór é	it was well worth it
áiteanna stairiúla	historic places
nua-aimseartha	modern
ag druidim chun deiridh	drawing to an end
mholfainn	I'd recommend

Related titles

Turas scoile a thaitin liom – *A school tour I enjoyed*
Taisteal: an tairbhe a bhaineann leis – *Travel: the benefits*
Bíonn siúlach scéalach – *The traveler has many stories to tell*
Is iontach an rud é taisteal – *Travel is wonderful*
Leathnaíonn taisteal aigne an duine – *Travel broadens the mind*
An áit is fearr liom – *My favourite place*
An áit is ansa liom – *My favourite place*
Ag dul thar lear – *Going abroad*.

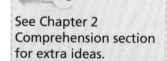

See Chapter 2 Comprehension section for extra ideas.

Alt samplach 2

An scannán is fearr liom

Na Simpsons – an scannán

Gan dabht thaitin an scannán *The Simpsons* go mór liom. Scannán é faoin teaghlach buí cáiliúil as Springfield a chruthaigh Matt Groening. Is scannán grinn é cosúil leis an gclár teilifíse. Bíonn an lucht féachana sna tríthe gáire ach bíonn na heachtraí idir shúgradh is dáiríre. Tá an teaghlach seo ag dul ó neart go

neart agus is fíor go bhfuil siad i mbarr a réime. Is duine trioblóideach deiliúsach é Bart de ghnáth agus is duine dúr agus an-ghreannmhar é Homer, athair na leanaí.

Scéal iontach atá ann, dar liom, é breac le heachtraí greannmhara; agus scéal é a mhúsclaíonn idir fhearg agus bhrón. Bhí mé ag gáire le linn an scannáin, agus i gcónaí ar bís. Tá an scéal go maith, tá an aisteoireacht cumasach, tá an suíomh suimiúil – tríd is tríd is sár-scannán é. Mholfainn do gach duine dul agus é a fheiceáil.

Tá an scannán bunaithe ar iarracht Russ Cargill baile Springfield a scriosadh (*Cargill's attempt to destroy Springfield*) mar thruailligh Homer an loch (*Homer polluted the lake*). Iompaíonn muintir Springfield i gcoinne Homer (*they turn against Homer*) agus déantar é a imeallú (*he is isolated*). Déanann Homer a sheacht ndícheall (*does his best*) stop a chur le scéim Cargill.

Twilight

Is scannán grá fantasaíochta é. Baineann sé le daoine óga.

Titeann cailín óg, Bella, i ngrá le buachaill óg dathúil darb ainm Edward ach tá rún (*secret*) aige. Tá sé difriúil mar is vaimpír é. Tá eagla ar Bhella go maróidh Edward í. Ach tá drochvaimpír darb ainm James ag iarraidh Bella a mharú. Déanann Edward a sheacht ndícheall Bella a shábháil. Tá cara suimiúil eile ag Bella darbh ainm Jacob. Is mac tíre é Jacob. Cloisimid a scéal sa dara scannán den tsraith, New Moon. Tá Bella bocht ag troid in aghaidh na ndrochvaimpírí anois mar tá said ag lorg díoltais (*revenge*). Tá coimhlint idir Edward agus Jacob, cé a bhuafaidh Bella? Is é Jacob a dlúthchara agus tá sí i ngrá le Edward. Chomh maith leis sin caithfidh Bella rogha a dhéanamh idir saol mar dhuine agus saol mar vaimpír le Edward. Is scéal corraitheach é gan dabht. Tá sé lán den teannas ó thus deireadh. Tá na héifeachtaí speisialta thar cionn freisin. Tá caighdeán na haisteoireachta ar fheabhas. Is aoibhinn liom an scéal. Mholfainn duit an scannán seo a fheiceáil.

Tá an scannán bunaithe ar na leabhair a scríobh Stephanie Meyer.

Past article titles

2010:
Daoine bochta sa tír seo – *Poor people in this country*
Na fadhbanna atá ag daoine óga – *Problems of young people.*

2009:
Alt faoi seó faisin agus ag bailiú airgid do charthanacht – *Article about a fashion show and collecting money for charity*
Ceolchoirm mhór – *A big concert.*

2008:
Bulaíocht i measc daltaí i do scoil – *Bullying between students in your school*
Tuairimí ar na hábhair scoile a dhéanann daltaí ar scoil – *Opinions on the school subjects students do in school.*

Solutions for chapter 3

Putting phrases into practice

Téacs ar lch 69.

1. Is minic a bhíonn déagóirí i dtrioblóid as a bheith ag ól alcóil.

2. Is féidir le foréigean ar chláir theilifíse drochthionchar a imirt ar dhaoine óga.

3. Cuireann an fhógraíocht do lipéid dearthóra a lán brú ar dhaoine óga mar níl pingin rua ag an gcuid is mó againn.

4. Tá neamhord itheacháin ag cuid de na réaltaí ceoil agus tá siad róthanaí.

5. Bheadh measúnú leanúnach i bhfad Éireann níos fearr ná scrúduithe móra.

6. Déanann toitíní dochar don tsláinte.

7. Tá sé áiféiseach go mbíonn ar dhaltaí sé ábhar déag a dhéanamh sa chéad bhliain iar-bhunscoile.

8. Ba cheart don rialtas cabhrú leis na daoine a chónaíonn i gceantracha easnamhacha.

9. Tarlaíonn a lán fadhbanna i gcúlú eacnamaíochta de bharr easpa áiseanna.

10. Cuid d'fhadhb na ndrugaí is ea gach duine a chaitheann drugaí, agus is coirpigh iad.

Réiteach ar an gCrosfhocal

Téacs ar lch 73.

Trasna

3. dúlra

4. rúaille búaille

5. mórthír

6. faoin

8. éalú

10. faoiseamh

12. scléip

13. radharcanna

15. dhreach

Síos

1. taisteal

2. farantóireachta

7. turasóirí

9. Gaillimhe

11. aill

14. cíos

Timpiste: aistrigh go Gaeilge

Téacs ar lch 81.

1. Thug mo mháthair síob dom ina carr nua teolaí.

2. Bhain an splanc tintrí agus an tuairt toirní geit as mo mhadra.

3. Fuair mé DVD nua ar cíos a bhí díreach tagtha amach.

4. Dúirt sí liom go raibh sé an-fhuar lasmuigh. Ní raibh aon chóta agam ach chuaigh mé sa tseans.

5. Cad a dhéanfainn gan na seirbhísí éigeandála?

6. Ba bheag nár thit Máire go talamh ach d'impigh mé uirthi leanúint ar aghaidh san oíche a bhí chomh dubh le pic.

7. Bhí sí ar a sáimhín só anois mar bhí sí ar fónamh arís.

8. Bhí sé ag doirteadh fola, ní fhaca mé a leithéid riamh.

9. Scrúdaíodh mé agus tugadh instealladh dom tar éis dom titim i laige.

10. Bhí an t-ádh dearg liom mar ní raibh mé brúite go dona. Scaoileadh abhaile mé, buíochas le Dia.

Scéal samplach 3

Bulaíocht ar scoil

Téacs ar lch 84.

Tús: Is cuimhin liom go maith é, ní raibh mé ach trí bliana déag d'aois sa chéad bhliain ar an meánscoil. Bhí mé sona sásta i mo scoil nua. Bhí grúpa mór cairde agam ach ní bhíonn i rud ar bith ach seal (*nothing lasts forever*).

Ní dhéanfaidh mé dearmad ar an eachtra amháin go lá mo bháis. Lá nimhneach gaofar a bhí ann agus bhí mé préachta leis an bhfuacht. Bhí mé ar mo shlí go dtí mo chéad rang eile. Bhrostaigh mé go **clós na scoile** [1]. Is ansin a tharla sé.

Lár: Bhuail mé le Cáit. Cáit Cruálach an leasainm a bhí againn uirthi, creid é nó ná creid é! Níor chreid mé mo shúile. Bhí an **bulaí mór millteach ag béiceadh** [2] in ard a gutha. Bhí sí **ag magadh fúm** [3]. Níor cheadaigh sí dom siúl ar aghaidh. Thosaigh sí **ag spochadh as** [4] mo ghruaig agus dúirt sí go raibh mé ramhar.

Cad a dhéanfainn? Bhí mé i m'aonar agus bhí cairde Cháit ann ansin...grúpa **bulaithe** [5]. Bhí mo phort seinnte agam (*I had to face the music*). Ní raibh aon **dul as** [6]. Bhí a fhios agam go raibh mé **i bponc** [7]. Bhuail Cáit mé ar mo cheann **gan taise gan trua** [8]. Thit mé i mo chnap ar an talamh. Bhí fuil ag sileadh as mo lámh.

Stróic siad [9] m'éide scoile agus **ghoid siad** [10] mo lón agus mó chás pinn luaidhe nua. Bhí mé ar deargbhuile.

Rinneadh an **bhulaíocht** [11] orm don tseachtain ar fad. Bhí Cáit agus a cairde ag fanacht liom gach lá ag geata na scoile. Bhí mé **in umar na haimléise** [12]. Bhí Cáit cruálach agus **borb** [13], gan dabht thaitin na **troideanna foréigneacha** [14] léi. Bhí mé croíbhriste agus bhí mé **as láthair** [15] ón scoil go minic. Ní raibh mé ábalta an drochíde a sheasamh.

Buíochas le Dia, tráthnóna amháin chonaic **maor scoile** (16) Cáit ag magadh fúm agus grúpa cailíní ag **síneadh na méar chugam** (17). Thug sí íde béil dóibh. Thug sí **lámh chúnta** (18) dom chun mo stuif a phiocadh suas. Ghlaoigh an príomhoide ar na cailíní. Thug sí **pionós** (19) dóibh, cuireadh iad **ar fionraí** (20) go ceann trí lá agus thug sí **íde béil** (21) dóibh. Ní raibh cead acu teacht in aice liom anois. Fuair tuismitheoirí Cháit **glao gutháin abhaile** (22) freisin.

Críoch: Faoiseamh (23) faoi dheireadh. D'fhoghlaim mé ceacht ón eachtra sin, gan a bheith ag siúl i m'aonar timpeall na scoile agus é a rá le múinteoir nó leis an maor scoile má bhíonn bulaíocht ar siúl. Ghortaigh na cailíní sin mé an uair sin ach anois táim ar mhuin na muice arís. Gan dabht beidh an eachtra bulaíochta sin greanta i m'intinn go deo na ndeor.

4 Páipéar II Prós   12.5%

aims You will learn:
- The layout of this section of the exam.
- Useful tips and sample exam answers to help you achieve maximum marks in this section.
- Key vocabulary and phrases that will help you discuss the stories you have studied.

Exam layout

Roinn I: You must answer two sections

Ceist 1

This section is worth **30 marks**.

- Answer three questions about an unseen story for 15 marks.
- Choose one question from Section A and one from Section B.
- Your third choice can be from Section A or B.
- Check to see if a list of vocabulary is given just below the text. If not, the title and pictures will help you understand the story.

Section A questions are easier.

Ceist 2

- This is a question based on the theme or feeling in one studied story or novel.
- Aim to write about one A4 page on the subject.
- Marks:
  - 2 marks for naming the author and the story/novel.
  - 5 marks for naming the subject.
  - 8 marks for the standard of Irish.

Prós – common question words

See also page 36 of chapter 2 for tips.

Key terms in prose questions

Cad atá i gceist le...?	*What is... about?*
Luaigh rud amháin	*Mention one thing*
Luaigh dhá rud	*Mention two things*
Cén saghas/sórt/cineál duine?	*What sort of person?*
Difríocht amháin	*One difference*

Cosúlacht amháin	One similarity
Codarsnacht	Contrast
Cé acu is fearr leat?	Which do you prefer?
An mothúchán is láidre*	The strongest feeling
Tabhair cuntas gairid ar…	Give a short account of…
Luaigh tréith a bhaineann le…*	Mention a characteristic of…
Ar thaitin an dán leat?	Did you enjoy the poem?
Cad é/iad na tagairt(í) do…	What are the reference(s) to…
Cad atá á rá ag an bhfile sa líne…	What's the poet saying in the line…
Déan cur síos ar…	Describe…
Luaigh dhá chúis	Mention two reasons
Tabhair dhá fháth	Give two reasons
Mínigh	Explain
Gearrscéal	Short story
Úrscéal	novel
Cineál céanna ábhair	Same type of subject

* Before you attempt this section make sure to study Mothúcháin agus Tréithe, pages 10–12.

Ceist I – Prós liteartha

Roinn I Prós liteartha (30 marc)

Ceist 1. Léigh an sliocht seo agus freagair **trí cinn** de na ceisteanna a ghabhann leis. **(15 mharc)**

Ní mór ceist **amháin** a roghnú as **A** agus ceist **amháin** a roghnú as **B**.

Is féidir **an tríú ceist** a roghnú as **A** *nó* **B**. Is leor **leathanach** amháin a scríobh.

Bíodh na freagraí i d'fhocail féin, chomh fada agus is féidir leat.

Luath nó mall (Sooner or later)

1. Bhí lá breithe ag Peadar. Bhí a chairde go léir ann. An spórt a bhí acu! An gáire a rinne siad! Bhí Peadar an-sásta. Ní raibh sé riamh chomh sásta ina shaol. 'An féasta ab fhearr a bhí ag aon duine riamh,' ar seisean ina intinn féin. Ansin chuaigh a chairde go léir abhaile. Bhí Peadar faoi bhrón. Bhí an teach an-chiúin. 'Ní bheidh lá breithe arís agam go ceann bliana,' ar seisean. 'Tá sin i bhfad rófhada uainn.'

2. An lá dár gcionn bhí sé fós faoi scamall bróin. Smaoinigh sé ar phlean. 'Má shiúlaim níos tapúla, má labhraím níos tapúla, má ithim agus má ólaim níos tapúla, b'fhéidir go n-imeoidh an bhliain níos tapúla,' ar seisean. D'ith sé a bhricfeasta an-tapa ar fad. D'ól sé gloine bhainne in aon slog amháin. 'Tóg go bog é,' arsa a Mhamaí leis. Amach leis. Shiúil sé an-tapa ar scoil. Bhí sé ann ar fiche tar éis a hocht. Ní raibh aon duine ann. Chiceáil sé carn duilleog. D'fhéach sé suas síos. Ní raibh aon duine ag teacht. Sa deireadh chuala sé carr á pháirceáil i gclós na scoile.

    'Dia duit ar maidin,' arsa an t-ardmháistir. 'Dia is Muire duit,' arsa Peadar an-tapa ar fad. 'Nach tú atá luath ar maidin,' arsa an t-ardmháistir agus d'oscail sé doras na scoile. D'fhan Peadar lasmuigh. Chiceáil sé carn eile duilleog. Ansin bhailigh sé iad go léir arís, an-tapa ar fad, agus rinne carn díobh. 'Nach mé an t-amadán,' arsa Peadar. 'D'ith mé, d'ól mé, shiúil mé agus labhair mé an-tapa ar fad ach tá an t-am ag imeacht mar a bhí riamh.' Chaith sé an lá ar fad ag smaoineamh. 'Má dhéanaim gach rud níos moille, b'fhéidir?' ar seisean.

3. Shiúil sé abhaile an-mhall ar fad, ar nós seilide. Bhí sé beagnach a cúig nuair a shroich sé an baile. 'Bhí mé buartha fút, a Pheadair,' arsa a Mhamaí leis. 'Cá raibh tú?' 'Níl ann ach gur shiúil mé abhaile an-mhall ar fad.' 'Cad atá ort, an bhfuil tú tinn?' 'Níl,'

arsa Peadar. Thóg sé trí shoicind air an focal sin a rá. D'ith sé ceapaire cáise, an-mhall. Chogain sé agus chogain sé an ceapaire. D'ól sé cupán tae an-mhall, an-mhall go deo. Ní raibh sé ach leath-ólta aige nuair a d'éirigh sé fuar. 'Nach mé an t-amadán,' arsa Peadar leis féin. 'D'ith mé, d'ól mé, shiúil mé agus labhair mé an-mhall ar fad ach tá an t-am ag imeacht mar a bhí riamh.'

4. Tháinig Daidí abhaile. 'Deir Mam liom go bhfuil rud éigin cearr leat,' ar seisean. 'Níl,' arsa Peadar, 'ach tá rud éigin cearr leis an saol.' 'An bhfuil anois?' arsa Daidí. 'Agus cad atá cearr leis an saol?' 'Tá an bhliain rófhada,' arsa Peadar. 'Rófhada? Níl a fhios agam faoi sin,' arsa a Dhaidí leis. 'Tá,' arsa Peadar.

5. Thóg Daidí leabhar anuas ón tseilf. Leabhar dúlra. 'An bhfeiceann tú an crann sin?' 'Feicim,' arsa Peadar. 'Míle bliain d'aois atá sé. Fásann sé in California. Sin í an chrónghiúis,' arsa Daidí. 'Míle bliain?' arsa Peadar agus bhí iontas air. D'oscail a Dhaidí leathanach eile. 'Agus an bhfeiceann tú an chuil sin?' ar seisean. 'Feicim,' arsa Peadar. 'Sin í an chuil Bhealtaine,' arsa a Dhaidí. 'Ní mhaireann sé ach aon lá amháin.' 'Aon lá amháin???' arsa Peadar. 'Sin an méid,' arsa a Dhaidí.

6. 'Cé acu ab fhearr leat,' arsa Peadar tar éis tamaill, 'a bheith i do chuil Bhealtaine nó i do chrónghiúis?'

   'B'fhearr liom a bheith i mo dhuine,' arsa a Dhaidí. 'Ach dá mbeadh rogha agat,' arsa Peadar. 'Ach níl...,' arsa a Dhaidí. 'Níl rogha agam ná agatsa. Bí buíoch as gach lá atá agat. Ná bí buartha faoin lá inné ná faoin lá amárach. Agus ná bac an bhliain seo chugainn.... Tiocfaidh an bhliain seo chugainn, luath nó mall!'

   Gháir siad beirt.

(Sliocht athchóirithe as *Ceol na Gealaí* le **Gabriel Rosenstock**.)

Ceisteanna

A (Buntuiscint)

(i) In **Alt 1** deirtear go raibh Peadar 'faoi bhrón'. Cén fáth? (Is leor **dhá phointe** eolais.)

(ii) Luaigh **dhá chúis** a raibh máthair Pheadair buartha faoi.

(iii) Breac síos **dhá phointe** eolais faoin gceacht a mhúin an t-athair don mhac.

B (Léirthuiscint ghinearálta)

(i) Luaigh **dhá thréith** a bhaineann le Peadar mar dhuine, dar leat. I gcás **ceann amháin** den dá thréith sin tabhair píosa eolais as an téacs a léiríonn an tréith sin.

(ii) Déan comparáid idir an t-athair agus an mháthair mar a léirítear sa scéal iad.

(iii) Ar thaitin an scéal leat? Is leor **dhá chúis** a lua i do fhreagra.

See page 113 for solutions.

Roinn I Prós liteartha (30 marc) 2010

Ceist 1. Léigh an sliocht seo agus freagair **trí cinn** de na ceisteanna a ghabhann leis.
(15 mharc)

Pictiúr a goideadh (Stolen picture)

1. Sheas an príomhoide, an tUasal Mac an tSionnaigh, ar an ardán, a cheann faoi agus gan húm ná hám as ar feadh i bhfad. Fear crua a bhí sa phríomhoide, ach an lá áirithe seo bhí cuma bhuartha air. Thosaigh sé ag féachaint ó thaobh go taobh. D'éirigh na páistí agus na múinteoirí míshuaimhneach.

2. Ansin thosaigh an tUasal Mac an tSionnaigh ag caint. Labhair sé go mall réidh i nglór íseal. Chloisfeá biorán ag titim. Bhí gach duine ag iarraidh na focail a chloisteáil. 'Tharla rud éigin sa scoil ag an deireadh seachtaine agus ba mhaith liom go n-éistfeadh sibh go han-chúramach liom,' a dúirt sé. 'Goideadh pictiúr a bhí ar crochadh ar chúlbhalla halla na scoile le breis agus céad bliain anuas. Tá mé an-bhuartha faoi mar go bhfuil an pictiúr a goideadh ar an bpictiúr is luachmhaire ar domhan.'

3. Bhí monabhar cainte le cloisteáil i measc scoláirí agus múinteoirí na scoile. D'iompaigh gach duine thart le féachaint ar chúlbhalla an halla. Ceart go leor, bhí imlíne dhronuilleogach san áit a raibh an phéint ar dhath níos éadroime ná an chuid eile den bhalla. Ba léir go mbíodh rud éigin ar crochadh ansin le tamall fada de bhlianta ach ní raibh duine ar bith ábalta a rá cad é go díreach a bhí ann. D'fhéach gach duine ar ais ar an bpríomhoide ag súil le míniú uaidh ar an mistéir seo. Níor cheap siad gurbh é an pictiúr a bhí ar iarraidh a bhí ag cur as dó. Caithfidh go raibh cúis éigin eile leis.

4. 'An bhfuil tú ag rá linn gur briseadh isteach sa scoil?' a d'fhiafraigh Bean Uí Leanaí, an múinteoir a bhí i bhfeighil scoláirí na chéad bhliana sa scoil. Bhí an chuma ar an bpríomhoide faoin am seo gur mhaith leis imeacht de rith as an áit ach d'fhan sé mar a raibh sé agus é fós ag féachaint ó thaobh go taobh. 'Níor briseadh isteach,' a d'fhreagair sé go grod, 'ach creid mé, rinneadh damáiste nach féidir a leigheas. Ach is léir nach dtuigeann sibh an chiall atá leis an bhfocal *luachmhar*.' Bhí fearg ina ghlór agus é ag bogadh go mífhoighneach ó chos go cos.

5. 'Tá deireadh le himeachtaí i ndiaidh am scoile. Tá mé ag iarraidh oraibhse, a scoláirí, dul caol díreach abhaile i ndiaidh am scoile gach lá as seo amach. Téigí anois chuig bhur seomraí ranga. Tá oideachas le cur oraibh.' Leis sin d'fhág an príomhoide an halla agus chuaigh sé de bhogshodar i dtreo a oifige féin. Fágadh gach duine ina thost. Ba léir nár thuig duine ar bith cén fáth a raibh an príomhoide chomh corraithe sin i dtaobh an phictiúir a goideadh. Ba ríshoiléir fosta gur cheap an príomhoide go

raibh baint ag duine éigin sa scoil leis an ngadaíocht. Ach cé a dhéanfadh a leithéid agus cad chuige a ndéanfadh sé é?

6. Nuair a scaipeadh an scéal an tráthnóna sin, shíl idir mhúinteoirí, dhaltaí agus thuismitheoirí go raibh an príomhoide ag déanamh cnocáin de chnapán. Nach raibh sé soiléir do gach duine nach raibh sa phictiúr a bhí ar crochadh i halla na scoile ach cóip amaitéarach den phictiúr cáiliúil, *An Mona Lisa*? Ba chuimhin le cuid de na daoine ba shine san áit gur ghoid Vincenzo Perugia *An Mona Lisa* sa bhliain 1911. Ach nár thug sé ar ais é dhá bhliain ina dhiaidh sin? Nó ar thug? B'fhéidir gur chóip bhréagach de a thug Perugia ar ais!

B'fhéidir go raibh *An Mona Lisa* ceart ar crochadh i halla Scoil an Chnoic ó shin i leith, gan fhios don saol!

(Sliocht athchóirithe as an leabhar *Scoil an Chnoic* le **Jacqueline de Brún.**)

Ceisteanna (iad ar cómharc)

A (Buntuiscint)

(i) Luaigh **dhá** chúis a raibh 'cuma bhuartha' ar an bpríomhoide. (**Alt 2**)

(ii) Luaigh **dhá** rud a thug gach duine faoi deara nuair a d'iompaigh siad thart. (**Alt 3**)

(iii) Bhí dhá thuairim ann maidir le scéal an phríomhoide.

Breac síos an **dá** thuairim sin. (**Alt 6**)

B (Léirthuiscint ghinearálta)

(i) '*Fear crua a bhí sa phríomhoide.*'

An léiríonn an príomhoide na tréithe sin sa sliocht seo? Is leor **dhá** phointe eolais a lua.

(ii) Luaigh **dhá** phointe eolais a léiríonn an t-atmaisféar míchompordach a bhí sa halla scoile.

(iii) An dóigh leat go bhfuil críoch an scéil anseo sásúil? Is leor **dhá** chúis a lua i do fhreagra.

See page 114 for solutions.

Ceist 2 – Account of stories/gearrscéal and novels/úrscéal

- Question A asks you to identify the subject of the extract given in Ceist 1. Then you must compare this extract with a story/novel/drama you studied with the same subject.
- Question B asks you to choose one theme/type of character from a given list and discuss this theme/type of character in the story/novel/drama you studied.
- Know the author's name and be able to spell the title of the story/novel/drama. There are 2 marks awarded for this.
- **Avoid question A as question B is easier. Twice in past exams (2002 & 1998) character traits were listed instead of themes. This could return.**

Téama/Mothúchán	2010	2009	2008	2007	2006	2005
Grá		X		X		X
Brón/Díomá				X		X
Fearg				X		X
Fonn díoltais				X		X
Fuath						
Taisteal/Tír eile	X			X	X	
Éad				X		
Clann/Teaghlach/Tuismitheoirí			X		X	
Saol na scoile	X		X			
Cairdeas/Míthuiscint		X			X	
Saol faoin tuath	X					
Saol na cathrach	X					
Dúlra/Ainmhithe	X				X	
Spóirt	X		X			
Óige		X				
Meas		X				
Uaigneas		X				X
Gliceas		X				
Greann			X			

Téama/Mothúchán	2010	2009	2008	2007	2006	2005
Bás/Taibhsí			x		x	
Bia			x			
Tuirse				x		
Áthas						x

Stories/Gearrscéal

'Billie Holiday' le hÁine Ní Ghlinn

Achoimre (summary)

Bhain **a lán mí-ádh** le saol Billie Holiday. Bhí **saol crua** aici gan dabht, ní raibh a máthair, Sadie, ach 13 nuair a rugadh Billie. Chaith tuismitheoirí Sadie amach as an teach í agus rugadh Billie in ospidéal áit a raibh Sadie, a mamaí, ag sclábhaíocht.

Bhí **saol crua ag Billie** mar ní raibh a daid sa bhaile go minic. Ba cheoltóir é. Mar sin bhíodh sé as baile go minic. Chuaigh athair Billie le bean nua ina dhiaidh sin. Chuir sé sin **brón ar Billie** gan dabht.

Think of *Íde* in *drochíde*

- Only use Billie Holiday if you've read the story in class with your teacher.

Rud eile uafásach a tharla ná gur chaill máthair Billie a post agus bhí uirthi dul ag obair mar chailín aimsire. Fágadh Billie lena col ceathracha i dteach a hAintín Íde. Bhí Íde cruálach (*cruel*) le Billie.

Fuair Billie **drochíde** (*bad treatment*) ann. Bhí Billie sa leaba céanna le Henry, leanbh Íde. Bhíodh Henry ag fliuchadh na leapa ach cheap Íde gur Billie a rinne é. Fuair Billie léasadh gach maidin le fuip mar gheall air sin.

Oíche amháin d'fhan Billie ar an urlár chun bheith tirim. Fuair sí léasadh an mhaidin dár gcionn.

Bhí duine amháin cneasta le Billie agus b'in an **sin-seanmháthair** a bhí céad bliain d'aois. Bhíodh Billie ag caint léi. Ba í an t-aon chara a bhí ag Billie.

Faraor (*unfortunately*) fuair an sin-seanmháthair bás. Cuireadh an locht (*blame*) ar Billie. Fuair sí léasadh eile.

Bhain an t-ádh le Billie freisin. Ag deireadh thiar thall (*finally*) fuair sí post ag glanadh do na daoine saibhre.

Ach lean an mí-ádh nuair a ionsaíodh Billie. Níor chreid na daoine Billie agus cuireadh isteach in institiúid Chaitliceach í.

Bhí na mná rialta (*nuns*) cruálach. Bhí pionós uafásach acu, an gúna dearg gioblach, mar shampla. Má bhí cailín i dtrioblóid tar éis riail a bhriseadh bhí uirthi an gúna dearg a chaitheamh agus ní raibh cead ag aon chailín eile labhairt léi.

Bhí áthas an domhain ar Billie nuair a thug a máthair cuairt uirthi san institiúid le ciseán mór bia (*basket of food*)

Ach bhí díomá an domhain uirthi nuair a thóg na mná rialta an ciseán agus ní raibh cead ag Billie an bia a ithe.

Bhí na mná rialta cruálach gan dabht. Chuir siad Billie sa seomra le corp marbh oíche amháin mar phionós eile.

D'fhulaing Billie an-chuid cruatain ach rinne sí a dícheall (*her best*) cabhrú leis na daoine bochta. Is féidir an fhulaingt agus an mí-ádh a chloisteáil ina cuid ceoil...*The Blues*.

Bhí deireadh tragóideach ag Billie freisin, fuair sí bás in aois 44 de bharr drugaí.

Tréithe daoine sa scéal

Drochdhuine/daoine: Aintín Íde, na mná rialta.

Duine deas/lách: an sin-seanmháthair.

Duine lách/deas/fial/cneasta/cairdiúil: an sin-seanmháthair.

Duine cróga/láidir: Billie (Féach thíos).

Ceist agus freagra samplach ar cheist B

Freagraí samplacha for a character-based question

B (2002 exam paper)

(i) Maidir le do rogha ceann amháin de na cineálacha daoine seo a leanas, ainmnigh gearrscéal Gaeilge nó úrscéal nó dráma Gaeilge (a ndearna tú staidéar air i rith do chúrsa) a bhfuil an cineál sin duine i gceist ann. <u>Ní mór teideal an tsaothair sin, mar aon le hainm an údair a scríobh síos go soiléir.</u>

(a) duine uaigneach (b) duine glic (c) duine amaideach (d) duine fiosrach <u>(e) duine láidir</u> (f) drochdhuine

(ii) Tabhair cuntas gairid ar a bhfuil sa saothar sin faoin gcineál duine atá roghnaithe agat.

Freagra

Sampla 1

(i) Rinne mé staidéar ar an ngearrscéal 'Billie Holiday' le hÁine Ní Ghlinn.

Is iomaí sórt daoine atá sa scéal ach roghnaigh mé Billie, an príomhcharachtar. Gan dabht **is duine láidir** í Billie.

exam focus

Use *cróga* instead of *láidir*.

(ii) Bhí Billie **láidir** mar bhí **saol crua** aici gan dabht. Ní raibh a máthair Sadie ach 13 nuair a rugadh Billie. Chaith tuismitheoirí Sadie amach as an teach í agus rugadh Billie in ospidéal áit ina raibh Sadie a mamaí ag sclábhaíocht.

Bhí **saol crua ag Billie** mar ní raibh a daid sa bhaile go minic. Ba cheoltóir é agus mar sin bhíodh sé as baile go minic. Chuaigh athair Billie le bean nua ina dhiaidh sin. Chuir sé sin **brón ar Billie** gan dabht.

Rud eile uafásach a thaispeáin go raibh **Billie láidir** ná gur chaill máthair Billie a post agus bhí uirthi dul ag obair mar chailín aimsire. Fágadh Billie lena col ceathracha i dteach a hAintín Íde. Bhí Íde cruálach (*cruel*) le Billie. Fuair sí drochíde (*bad treatment*) ann. Bhí Billie sa leaba céanna le Henry, páiste Íde. Bhíodh Henry ag fliuchadh na leapa ach cheap Íde gur Billie a rinne é. Fuair Billie léasadh gach maidin le fuip mar gheall air sin.

Faraor (*unfortunately*) fuair an sin-seanmháthair bás sa teach. Cuireadh an locht (*blame*) ar Billie. Fuair sí léasadh eile. Bhí sí **láidir** mar fuair sí léasadh i ndiaidh léas.

Bhí ar Billie bheith láidir nuair a ionsaíodh í. Níor chreid na daoine Billie agus cuireadh isteach in institiúid Chaitliceach í.

Bhí na mná rialta (*nuns*) cruálach. Bhí pionós uafásach acu, an gúna dearg gioblach, mar shampla. Má bhí cailín i dtrioblóid tar éis riail a bhriseadh bhí uirthi an gúna dearg a chaitheamh agus ní raibh cead ag aon chailín eile caint léi.

D'fhulaing Billie an-chuid cruatain ach rinne sí a dícheall (*her best*) cabhrú leis na daoine bochta. Bhí sí **an-láidir** ag deireadh an chruatain sin (*end of hardship*).

Is féidir an fhulaingt agus an mí-ádh a chloisteáil ina cuid ceoil… *The Blues*. Bhí sí **láidir** mar d'éirigh léi mar cheoltóir cáiliúil. Ach bhí deireadh tragóideach ag Billie freisin, fuair sí bás in aois 44 de bharr drugaí.

Sampla 2

Drochdhuine: Íde

(i) Rinne mé staidéar ar an ngearrscéal 'Billie Holiday' le hÁine Ní Ghlinn.

Is iomaí sórt daoine atá sa scéal ach roghnaigh mé Íde. Gan dabht is **drochdhuine** í Aintín Íde.

Use *cruálach* instead of *drochdhuine*.

(ii) Rud uafásach a tharla ná gur chaill máthair Billie a post agus bhí uirthi dul ag obair mar chailín aimsire, mar sin fágadh Billie lena col ceathracha i dteach Aintín Íde. **Bhí Íde cruálach** (*cruel*) le Billie.

Fuair sí **drochíde** (*bad treatment*) ann. Bhí Billie sa leaba céanna le páiste, Henry. Bhíodh Henry ag fliuchadh na leapa ach cheap Íde gur Billie a rinne é. Fuair Billie léasadh gach maidin le fuip mar gheall ar sin.

Think of *Íde* in *Drochíde*.

Oíche amháin chodail Billie ar an urlár chun bheith tirim, Fuair sí léasadh an mhaidin dár gcionn.

Bhí duine amháin cneasta do Billie an sin-seanmháthair a bhí céad bliain d'aois. Bhíodh Billie ag caint léi. Ba í an t-aon chara a bhí ag Billie.

Faraor (*unfortunately*) fuair an sin-seanmháthair bás. Cuireadh an locht (*blame*) ar Billie. Fuair sí léasadh eile. Gan dabht **drochdhuine** ab ea í Íde amach is amach.

Téamaí sa scéal seo

Bás, cailleadh, cruachás, cruatan, mí-ádh, óige, tragóid, grá, fuath, eagla, imní, bochtanas, briseadh croí, uaigneas, díomá, brón, an chlann

Theme-based question

(i) Maidir le do rogha **ceann amháin** de *na hábhair* seo a leanas, ainmnigh gearrscéal Gaeilge *nó* úrscéal Gaeilge *nó* dráma Gaeilge (a ndearna tú staidéar air le linn do chúrsa) a bhfuil *an t-ábhar* sin i gceist ann.   **Select one of these.**

Ní mór **teideal an tsaothair** sin, mar aon le **hainm an údair**, a scríobh síos go soiléir.

    (a) An Teaghlach (b) An Scoil (c) Bia (d) Spórt
    (e) An Bás (f) An Greann

(ii) Tabhair cuntas **gairid** ar a bhfuil sa saothar sin faoin **ábhar** atá roghnaithe agat.

    (i) Rinne mé staidéar ar an ngearrscéal 'Billie Holiday' le hÁine Ní Ghlinn.

       Is iomaí téama atá le sonrú sa scéal ach roghnaigh mé **an bás**. Fuair **triúr bás** sa scéal brónach seo.

    (ii) Ar an gcéad dul síos nuair a fágadh Billie lena col ceathracha i dteach Íde. Bhí Íde cruálach (*cruel*) le Billie. Fuair sí drochíde (*bad treatment*) ann. Fuair Billie léasadh gach maidin le fuip. Bhí duine amháin cneasta le Billie agus b'in an sin-seanmháthair a bhí céad bliain d'aois. Bhíodh Billie ag caint léi. Ba í an t-aon chara a bhí ag Billie. Faraor (*unfortunately*) **fuair an sin-seanmháthair bás**. Cuireadh an locht (*blame*) ar Billie. Fuair sí léasadh eile.

       An dara duine **a fuair bás ná cailín san institiúid**. Chuir na mná rialta Billie sa seomra le corp marbh mar phionós.

       Faoi dheireadh Bhí **deireadh tragóideach** ag Billie freisin, **fuair sí bás in aois 44** de bharr drugaí.

'An t-Ádh' le Pádraic Ó Conaire

Achoimre (Summary)

- Bhí triúr cara ann, an t-údar, Michilín Liam agus Sean Antaine. Bhí siad i bhfolach mar ní raibh aon fhonn oibre orthu. Shocraigh siad ar dhul ag bádóireacht. Fuair siad léasadh an uair dheireanach a ndeachaigh siad ag bádóireacht go hInis Mór mar ní raibh cead acu dul amach.

- Shocraigh siad ar dhul amach ar bhád Thoim Bhig i ngan fhios dó. Bhí plean ag an údar. Bhí Tom Beag le dul go Garumna go margadh muc ar an mbád. Ní raibh an triúr ábalta dul mar bhí ar leaid amháin fanacht agus a rá le Tom Beag go raibh dhá mhuc ar an mbád.

- Bhí díomá ar na buachaillí. Ba mhaith leis an triúr acu dul ach chuir siad ar chrannaibh é. Thóg an t-údar trí thráithnín. Phioc na buachaillí tráithnín. Ba é an t-údar Pádraic a roghnaigh an ceann ab fhaide. Mar sin ní raibh sé ábalta dul leis na buachaillí ar an mbád.

- Bhí díomá an domhain ar Phádraic. Chuaigh na buachaillí eile amach agus d'fhan sé taobh thiar.

- Tháinig Tom Beag go dtí an bád le cúigear fear in éineacht leis. Táilliúirí ab ea iad. Bhí siad súgach (*drunk*) agus ag casadh port (*playing tunes*). Rinne Pádraic iarracht dul ar an mbád ach chonaic Tom Beag é. Dúirt Tom leis dul abhaile. Bhí Pádraic cráite (*tormented*) leis seo.

- D'fhan Pádraic ag smaoineamh faoin mbád agus na buachaillí. Bhí sé ag féachaint ar phortán (*crab*). Thosaigh sé ag caoineadh. D'fhéach sé ar an mbád agus ansin thit sé ina chodladh. Nuair a dhúisigh sé bhí an oíche ann agus bhí sé fliuch go craiceann.

- Ar a bhealach abhaile bhuail sé le hathair agus máthair Mhichilín. Bhí an mháthair fliuch scanraithe. Chuir siad ceist mar gheall ar na buachaillí. D'inis Pádraic an scéal dóibh ach níor mhaith leis sceitheadh ar (*tell on*) a chairde. Níor mhaith leis trioblóid a tharraingt ar an dá cara. Bhí díomá an domhain ar an máthair nuair a dúirt Pádraic go raibh na leaids óga sa bhád. Nuair a shroich sé baile rug athair Shéamuis greim air agus d'fhiafraigh sé an raibh Séamus sa bhád. Bádh gach duine a bhí ar bhád Tom Beag. Thuig Pádraic go raibh an t-ádh leis. Choimeád sé tráithnín an áidh (*lucky stalk of grass*) ina dhiaidh sin.

Téamaí sa scéal seo

Bás, mí-ádh, an t-ádh, cairdeas, an óige, saol cois farraige, cailleadh (*loss*), brón, díomá, cruachás, tragóid, uaigneas, briseadh croí.

Theme-based question

(i) Maidir le do rogha **ceann amháin** de *na hábhair* seo a leanas, ainmnigh gearrscéal Gaeilge *nó* úrscéal Gaeilge *nó* dráma Gaeilge (a ndearna tú staidéar air le linn do chúrsa) a bhfuil *an t-ábhar* sin i gceist ann.

Ní mór **teideal an tsaothair** sin, mar aon le **hainm an údair**, a scríobh síos go soiléir.

Select one of these.

(a) An Teaghlach (b) An Scoil (c) an t-Ádh (d) Spórt (e) <u>An Bás</u> (f) An Greann

(ii) Tabhair cuntas **gairid** ar a bhfuil sa saothar sin faoin **ábhar** atá roghnaithe agat.

(i) Rinne mé staidéar ar an ngearrscéal 'An tÁdh' le Pádraic Ó Conaire.

Is iomaí téama atá le sonrú sa scéal ach roghnaigh mé an t-ádh. Gan dabht mar is léir ón teideal **bhí an t-ádh leis an údar** sa scéal brónach seo.

(ii) Bhí triúr cairde, an t-údar, Michilín Liam agus Sean Antaine i bhfolach mar ní raibh aon fhonn oibre orthu. Shocraigh siad ar dhul ag bádóireacht.

Shocraigh siad ar dhul amach ar bhád Thoim Bhig i ngan fhios dó. Bhí plean ag an údar. Bhí Tom Beag le dul go Garumna go margadh muc ar an mbád. Ní raibh an triúr ábalta dul mar bhí ar leaid amháin fanacht agus a rá le Tom Beag go raibh dhá mhuc ar an mbád.

Bhí díomá ar na buachaillí. Ba mhaith leis an triúr acu dul ach chuir siad ar chrannaibh é. Thóg an t-údar trí thráithnín. Phioc na buachaillí eile tráithnín. Ba é an t-údar Pádraic a roghnaigh an ceann ab fhaide. Mar sin ní raibh sé ábalta dul leis na buachaillí ar an mbád.

Bhí díomá an domhain ar Phádraic. Chuaigh na buachaillí eile amach agus d'fhan sé taobh thiar. Bhí Pádraic cráite (*tormented*) leis seo. Chuaigh an bád amach san fharraige.

Nuair a shroich sé baile fuair sé amach gur bádh gach duine a bhí ar bhád Thoim Bhig. Thuig Pádraic go raibh **an t-ádh** leis. Choimeád sé **tráithnín an áidh** (*lucky stalk of grass*) ina dhiaidh sin.

Novels/Úrscéal

'Dúnmharú ar an DART' le Ruaidhrí Ó Báile

exam focus

Only use this novel if you've studied it in class.

Character-based question

(i) Maidir le do rogha ceann amháin de na **cineálacha daoine** seo a leanas ainmnigh gearrscéal Gaeilge no úrscéal no dráma Gaeilge (a ndearna tú staidéar air i rith do chúrsa) a bhfuil an cineál sin duine i gceist ann. **Ní mór teideal an tsaothair sin, mar aon le hainm an údair a scríobh síos go soiléir.**

(ii) Tabhair cuntas gairid ar a bhfuil sa saothar sin faoin gcineál duine atá roghnaithe agat.

Duine uaigneach	Niall
Duine amaideach	Niall
Duine greannmhar	Billy
Duine dáinsearach	Jan, Henk
Duine sona nó brónach	Niall
Duine marbh	Máire
Duine feargach	Niall
Duine glic	Jan
Duine deas/fial	Miriam
Drochdhuine/fealltóir	Jan, Henk
Duine santach	Jan, Henk
Duine saibhir nó bocht	Niall, Jan
Duine faiteach (eaglach)	Niall
Duine craiceáilte	Niall

(i) Rinne mé staidéar ar an úrscéal 'Dúnmharú ar an DART' le **Ruaidhrí Ó Báile**.

Is iomaí sórt daoine atá sa scéal ach roghnaigh mé Niall an príomhcharachtar. **Gan dabht is duine... é Niall.**

(ii) • Is duine... é Niall ó thús deireadh an scéil.

• Ba mhúinteoir scoile é ach bhí sé tinn tuirseach den phost.

key point

Use Tréith/Trait above to complete your answer.

- Chuir na daltaí isteach air sa rang go minic, go háirithe Billy Bréan Ó Ruairc. Dúirt Billy leis lá amháin 'Téigh abhaile, tá tú róshean, faigh bás.'
- Ní raibh meas madra ag na daltaí ar Niall.
- Ní raibh Niall sásta lena shaol ar scoil.
- Mar sin nuair a tháinig sé ar chás lán d'airgead ar an traein ghoid sé an cás. Chuaigh sé sa seans.
- Bhí Niall chomh h**amaideach**/**craiceáilte** nuair a thóg sé an cás sin (airgead salach)
- Bhí a fhios aige go raibh sé mícheart.
- Fuair sé an t-airgead ó fhear a bhí marbh ar an traein.
- Níl ach **mí-ádh** ag baint leis an airgead sin.
- Shocraigh Niall ar dhul ar a choimeád go dtí an Ghréig lena bhean chéile Máire.
- Faraor lean mí-ádh iad leis an airgead salach agus dúnmharaíodh Máire bocht i seomra an óstáin.
- D'fhill an feall ar Niall. Mar a deir an seanfhocal: filleann an feall ar an bhfeallaire (*What goes around comes around!*)...
- Bhí **brón an domhain agus briseadh croí** ar Niall nuair a chaill sé a ghrá geal Máire. (grá)
- Is léir dúinn go raibh sé **amaideach** nuair a chreid sé Henk agus an pas falsa. Bhuail Henk bob ar Niall. Rinne sé **amadán críochnaithe** de Niall. Rug siad ar Niall mar bhí sé chomh **dúr** gur chreid sé Henk.
- Bhí deireadh leis beagnach nuair a rinne Jan iarracht é a mharú.
- Ach bhí **an t-ádh leis** nuair a shábháil Miriam é. Scaoil Miriam Jan.
- Ag deireadh an scéil cuireadh Niall sa phríosún(mí-ádh). B'in an áit cheart don duine amaideach sin. Ní raibh ciall ná réasún le Niall. B'amadán críochnaithe é gan dabht. **Mí-ádh** – bhí Billy Bréan sa chillín céanna le Niall.

Téamaí: Ceist bunaithe ar théama

Greann

- Tá a lán eachtraí greannmhara san úrscéal seo.
- Bhí sé greannmhar nuair a shleamhnaigh Niall, an múinteoir scoile, agus é ag rith go dtí an traein.
- Nuair a bhí na daltaí ag spochadh as Niall sa rang, ag magadh faoi... 'téigh abhaile, faigh bás'.
- Nuair a léim madra Billy Bréan ar Niall, briseadh spéaclaí Néill.
- Nuair a chuir Niall glaoch ar athair Billy.
- Nuair a bhí Niall sa chillín céanna lena 'chomrádaí nua'... Billy Bréan Ó Ruairc.

Ádh/mí-ádh

- Bhí an t-ádh/mí-ádh ar Niall nuair a tháinig sé ar an airgead.
- Mí-ádh – dúnmharaíodh an fear ar an traein.
- Mí-ádh – chonaic sé 'an fear marbh' ag an linn snámha san Aithin.
- Mí-ádh – dúnmharaíodh Máire, bean chéile Niall.
- Mí-ádh – bhí an bainisteoir bainc cairdiúil le Jan, an drochdhuine. Fuair Jan an caimiléir amach go raibh an t-airgead ag Niall.
- Mí-ádh – chreid sé Henk, pas falsa, bhuail sé Niall ar chúl a chinn.
- Mí-ádh – bhí Jan ag iarraidh Niall a mharú ach (líon isteach an t-eolas).
- Ádh – Scaoil Miriam le Jan, Bhí Miriam ina póilín rúnda, bhí sí ag ligean uirthi go raibh sí ag dul amach le Jan.
- Mí-ádh – Téarma príosúnachta le Billy Bréan sa chillín.
- Ádh – ní raibh an póilín Gréagach marbh.

Bás/foréigin/coimhlint

- Is é dúnmharú teideal an úrscéil.
- San úrscéal seo fuair go leor daoine **bás**, idir dhaoine ciontacha agus dhaoine neamhchiontacha (*innocent*)

Focail thábhachtacha: fuair bás/dúnmharaíodh/marbh

1. Tháinig Niall ar '**chorp**' ar an traein sin. (Gerrit, mharaigh Jan a leathchúpla mar thóg Gerrit airgead Jan.)
2. **Dúnmharaíodh** Máire san óstán sa Ghréig mar bhí Jan ag iarraidh a chuid airgead a fháil ar ais.
3. Bhí Niall **ag troid leis** an bpóilín mar cheap sé gur **mharaigh** Niall a bhean chéile. Cheap Niall gur **mharaigh** sé an póilín ach bhí sé fós beo, cé go raibh sé **gortaithe**.
4. **Bhuail** Henk Niall buille ar chúl a chinn.
5. Bhí Jan ag iarraidh Niall a **mharú**. (ionad dumpála, gunna)
6. **Scaoil** Miriam Jan. (obair rúnda).

Gan dabht is léir on méid thuasluaite go bhfuil a lán báis/coimhlinte/foréigin san úrscéal taitneamhach seo. (Abairt mar chríoch)

Coimhlint ar scoil/saol na scoile

- Ba mhúinteoir scoile é ach bhí sé tinn tuirseach den phost.
- Chuir na daltaí isteach air sa rang go minic, go háirithe Billy Bréan Ó Ruairc. Dúirt Billy leis lá amháin 'Téigh abhaile, tá tú róshean, faigh bás.'
- Ní raibh meas madra ag na daltaí ar Niall.
- Madra Billy, Rottweiler. Léim an madra ar Niall agus briseadh spéaclaí Néill.

- Nuair a chuir Niall glao ar athair Billy chun airgead a fháil do na spéaclaí níor éist an t-athair leis. Bhí sé ag gáire faoi.
- Bhí na daltaí imithe ó smacht ar scoil.
- Ní raibh Niall ábalta déileáil leis na daltaí.
- Ní raibh Niall sásta lena shaol ar scoil.
- Mar sin nuair a tháinig sé ar chás lán d'airgead ar an traein ghoid sé an cás. Chuaigh sé sa seans.

Mistéir

- Bhí mé ar bís nuair a bhí mé ag léamh an scéil mar...
- Bhí a lán ceisteanna agam ag léamh an úrscéil seo...

Solutions for chapter 4

Luath nó Mall

Téacs ar lch 100.

A (Buntuiscint)

(i) Bhí Peadar faoi bhrón mar:

   (1) Bhí a chóisir breithlae críochnaithe.

   (2) Bhí air fanacht ar feadh bliana go dtí a chéad bhreithlá eile.

(ii) (1) Bhí a mháthair buartha faoi mar:

        Bhí sé an-déanach ag teacht abhaile ón scoil, 'shiúil sé abhaile an-mhall' agus

    (2) Cheap a mháthair go raibh sé tinn, bhí sé ag caint go han-mhall agus ag ithe go mall freisin.

(iii) (1) Mhúin an t-athair dó nach maireann gach rud ar feadh na mblianta cosúil le daoine, mar shampla 'an chuil Bhealtaine,' arsa a Dhaidí. 'Ní mhaireann sé ach aon lá amháin.'

    (2) 'Bí buíoch as gach lá atá agat. Ná bí buartha faoin lá inné ná faoin lá amárach. Agus ná bac an bhliain seo chugainn.... Tiocfaidh an bhliain seo chugainn, luath nó mall!'

B (Léirthuiscint ghinearálta)

(i) Is duine **amaideach** agus **soineanta** (*innocent*) é Peadar. Bhí sé amaideach mar chreid sé go rachadh an t-am thart níos tapúla dá ndéanfadh sé rudaí go mall. Sin seafóid!

   Is duine beoga é Peadar mar taitníonn ceiliúradh agus cóisir leis!

(ii) Bhí Daidí Pheadair go maith ag caint le Peadar faoin bhfadhb. Shuigh sé síos leis agus mhínigh sé dó nach maireann rud ar bith ach tamall gearr agus nach bhfuil rogha againn, is daoine muid.

(iii) Thaitin an scéal liom mar bhí sé greannmhar nuair a bhí an buachaill óg ag ithe go mall agus ag siúl go mall.

Thaitin sé liom mar is scéal dea-scríofa é agus bhí sé éasca le tuiscint.

Pictiúr a goideadh

Téacs ar lch 101.

A (Buntuiscint)

(i) Dhá chúis… Any two of below.

- Tharla rud éigin ag an deireadh seachtaine.
- Goideadh pictiúr a bhí ar crochadh ar chúlbhalla na scoile le breis agus céad bliain anuas.
- Tá mé an-bhuartha toisc go bhfuil an pictiúr a goideadh ar an bpictiúr is luachmhaire ar domhan.
- Goideadh pictiúr a bhí ar crochadh ar chúlbhalla na scoile le breis agus céad bliain anuas. Tá mé an-bhuartha faoi mar go bhfuil an pictiúr a goideadh ar an bpictiúr is luachmhaire ar domhan.

(ii) Dhá rud a thuig gach duine

- Chonaic siad an spás ar an mballa ina raibh an pictiúr, bhí imlíne dhronuilleogach san áit a raibh an phéint ar dhath níos éadroime ná an chuid eile den bhalla.
- Ba léir go mbíodh rud éigin ar crochadh ansin le tamall fada de bhlianta.

(iii) Dhá thuairim

- Nuair a scaipeadh an scéal an tráthnóna sin, shíl idir mhúinteoirí, dhaltaí agus thuismitheoirí go raibh an príomhoide ag déanamh cnocáin de chnapán.
- Nach raibh sé soiléir do gach duine nach raibh sa phictiúr a bhí ar crochadh ar an mballa sa scoil ach cóip amaitéarach den phictiúr cáiliúil an Mona Lisa?
- B'fhéidir gur chóip bhréagach de a thug Perugia ar ais?
- B'fhéidir go raibh an Mona Lisa ceart ar crochadh i halla Scoil an Chnoic ó shin i leith i ngan fhios don saol.

B (Léirthuiscint ghinearálta)

(i) Fear crua a bhí sa phríomhoide. Any two of these.

- Chloisfeá biorán ag titim.
- Tá deireadh le himeachtaí tar éis scoile
- Téigí anois go bhur seomraí ranga.
- Bhí fearg ina ghlór.
- Táim ag iarraidh oraibhse, a scoláirí, dul caol díreach abhaile i ndiaidh am scoile gach lá as seo amach.
- Tá oideachas le cur oraibh.

- Bhí sé ag bogadh go mífhoighneach ó chos go cos.
- Nuair a chuir múinteoir ceist air d'fhreagair sé go grod.
- Bhí meas ag na daltaí air. D'éist siad leis go cúramach nuair a bhí sé ag caint.

Ní raibh an príomhoide crua mar:

- Bhí cuma bhuartha air.
- Thosaigh sé ag féachaint ó thaobh go taobh.
- Bhí an chuma ar an bpríomhoide gur mhaith leis rith as an áit.
- Ach d'fhan sé mar a raibh sé agus é fós ag féachaint ó thaobh go taobh.
- Sheas an príomhoide, an tUasal Mac an tSionnaigh, ar an ardán, a cheann faoi agus gan húm ná hám as ar feadh i bhfad.

(ii) Dhá rud a léiríonn atmaisféar míchompordach.

- Chloisfeá biorán ag titim.
- Thosaigh sé ag féachaint ó thaobh go taobh.
- Bhí fearg ina ghlór.
- Sheas an príomhoide, an tUasal Mac an tSionnaigh, ar an ardán, a cheann faoi agus gan húm ná hám as ar feadh i bhfad.
- Fear crua a bhí sa phríomhoide ach an lá áirithe seo bhí cuma bhuartha air.
- Bhí monabhar cainte le cloisteáil i measc scoláirí agus múinteoirí na scoile.
- Bhí an chuma ar an bpríomhoide gur mhaith leis rith as an áit.
- D'éirigh na páistí agus na múinteoirí míshuaimhneach.
- Fágadh gach duine ina thost.
- Ní raibh sé soiléir cén fáth a raibh an cás chomh tromchúiseach.

(iii) Críoch an scéil?

Tá sé sásúil mar

- Tá ceacht le foghlaim ón scéal. Ní féidir bheith cinnte faoi aon rud.
- Tá a lán ceisteanna againn ag an deireadh, cruthaíonn sé mistéir (*mystery*). Mar shampla cad a tharla don Mona Lisa?
- Spreagann an scéal an tsamhlaíocht. Bíonn suim ag an léitheoir (*reader*) an leabhar a léamh.
- Tá teannas (*tension*) sa scéal.
- Bhí sé suimiúil agus corraitheach mar cheap daoine gur ghoid Vincenzo Perugia an Mona Lisa agus b'fhéidir go raibh an Mona Lisa ceart ar crochadh i Scoil an Chnoic ó shin i ngan fhios don saol!

Níl sé sásúil mar:

- Bhí a lán ceisteanna ag an deireadh agus chuir sé an léitheoir trí chéile.

Níor thuig mé an críoch nuair a dúirt siad go raibh an Mona Lisa sa scoil, bhí sé sin seafóideach.

5 Filíocht – Poetry 12.5%

aims You will learn:

- The layout of this section.
- Useful tips and sample exam answers to help you achieve maximum marks in this section.
- Key vocabulary and phrases that will help you discuss poems you have studied.

Exam layout

You must answer two sections:

Ceist 3: Three questions about two unseen poems:

- One from Section A, one from B and one from either A **or** B
- Use words from the *Gluais* provided in your answers.

and

Ceist 4: A question about a theme/feeling in one studied poem.

- Approximately one A4 page is required.

key point

Questions in Section A are easiest.

Marks

- 2 marks for naming the poet and the poem.
- 5 marks for naming the subject/theme.
- 8 marks for standard of Gaeilge.

Filíocht – common question words

Cad atá i gceist le...?	*What does... mean?/What is... about?*
Luaigh rud amháin	*Mention one thing*
Luaigh dhá rud	*Mention two things*
Cén saghas/sórt/cineál duine?	*What sort of person?*
Difríocht amháin	*One difference*
Cosúlacht amháin	*One similarity*

Codarsnacht	Contrast
Cé acu is fearr leat?	Which do you prefer?
An mothúchán is láidre*	Strongest feeling
Tabhair cuntas gairid ar…	Give a short account of…
Luaigh tréith amháin a bhaineann le…*	Mention one characteristic of…
Ar thaitin an dán leat?	Did you enjoy the poem?
Cad é/iad na tagairt(í) do…	What are the reference(s) to…
Cad atá á rá ag an bhfile sa líne…	What's the poet saying in the line…
Déan cur síos ar…	Describe…
Luaigh dhá chúis	Mention two reasons
Tabhair dhá fháth…	Give two reasons…
Mínigh	Explain

Ceist 3: Unseen poetry

Filíocht 2010

Léigh an dá dhán agus freagair trí cinn de na ceisteanna a ghabhann leo. (15 mharc)

Ní mór ceist amháin a roghnú as A agus ceist amháin a roghnú as B.

Is féidir an tríú ceist a roghnú as A nó as B. Is leor leathanach amháin a scríobh.

Bíodh na freagraí i d'fhocail féin, chomh fada agus is féidir leat.

* Before you attempt this section make sure to study Mothúcháin & Tréithe, pages 10–12, Chapter 2.

An Púdal Béal Dorais

Is réalta é Púdailín,

an créatúirín de mhaidrín,

a rug an bua iontach leis

4. ag Seó na Madraí i gCrufts.

Nuair a tháinig Púdailín abhaile

bhí an Taoiseach ann is Teachtaí Dála,

bronnadh saoirse na cathrach air

8. agus litir ghairdis on bPáirc.

Is cúis onóra í d'Éireannaigh,

agus is onóir leis go bhfuilimid

bródúil aisti, go bhfuair ár bpúdal

12. an bua ar mhadraí móra an tsaoil.

Ach ní raibh saol an mhadra bháin

gan scamall mar níor tugadh cead a chinn

don phúdal, meascadh le maidríní na sráide

16. ar nós a chompánaigh, ar nós a chairde.

le Pilib Ó Brádaigh

Gluais:

púdal: madra beag

L.8: litir ghairdis: litir chomhghairdis

L.8: ón bPáirc: ó Uachtarán na hÉireann i bPáirc an Fhionnuisce

L.14: gan scamall: gan bhrón

L.16: ar nós: cosúil le

Daonáireamh 1911

(Mamó ag caint lena gariníon)

Suigh síos taobh liom, a stór
go bhfoghlaimeoimid go leor
faoi na daoine a tháinig romhainn
4. sula raibh aon smaoineamh orainn.

Saor cloiche ba ea mo sheanathair,
Muiris Ó Gormáin, ar thaobh mo mháthar,
bhí lámh aige i dtógáil an tséipéil
8. agus na mballaí cloch sa cheantar.

Ba chainteoir Gaeilge í mo shin-seanmháthair,
Bríd Ní Dhuibhir ó Ghleann Dá Locha,
gan léamh ná scríobh ag an gcréatúirín
12. ach í ag obair ó dhubh go dubh.

Ní luaitear gairm bheatha leis na mná,
mná céile, iníonacha agus cailíní aimsire,
gan stádas, gan chéim, gan éirí in airde,
16. iad ar an runga ab ísle den dréimire.

le Róise Ní Ghráda

Gluais:

daonáireamh: comhaireamh daoine

L.5: saor cloiche: tógálaí a oibríonn le clocha

L.9: sin-seanmháthair; máthair na seanmháthar

L.12: ó dhubh go dubh: ó mhaidin go hoíche

L.13: gairm bheatha: slí bheatha; post

L.16: runga: céim i ndréimire

Ceisteanna (iad ar cómharc)

A (Buntuiscint)

(i) Mínigh i d'fhocail féin a bhfuil i gceist sna línte 9 – 12 sa dán Daonáireamh 1911.

(ii) (a) Cén áit ar rug Púdailín an bua iontach leis? (An Púdal Béal Dorais)

    (b) Luaigh gradam amháin a bronnadh ar Phúdáilín. (An Púdal Béal Dorais)

(iii) (a) Luaigh rud amháin a thóg Muiris Ó Gormáin atá luaite sa dán Daonáireamh 1911.

    (b) Cén fáth a bhfuil Éireannaigh bródúil as bua Phúdailín? (An Púdal Béal Dorais)

B (Léirthuiscint ghinearálta)

(i) Tá díomá nó brón léirithe sa véarsa deireanach sa dá dhán. I gcás dáin amháin, déan cur síos i d'fhocail féin ar an gcaoi a gcuireann an file an díomá nó an brón os ár gcomhair.

(ii) I gcás ceann amháin den dá dhán, déan cur síos ar an saghas duine é an file a chum an dán, dar leat. Is leor dhá phointe eolais a lua.

(iii) Cé acu ceann den dá dhán is fearr a thaitin leat? Luaigh dhá chúis le do fhreagra.

Freagraí samplacha

A (Buntuiscint)

(i) Mínigh i d'fhocail féin a bhfuil i gceist sna línte 9 – 12 sa dán Daonáireamh 1911.

Labhair sin-seanmháthair an fhile Gaeilge. Bríd Ní Dhuibhir ab ainm di. Bhí sí ina cónaí i nGleann Dá Loch. Ní raibh léamh ná scríobh ag an mbean bhocht. D'oibrigh sí go dian/díograiseach ó mhaidin go hoíche.

(ii) (a) Cén áit ar rug Púdailín an bua iontach leis? (An Púdal Béal Dorais)

    Crufts/Seó na Madraí/Rug sé an bua leis ag Seó na Madraí i gCrufts.

    (b) Luaigh gradam amháin a bronnadh ar Phúdáilín. (An Púdal Béal Dorais)

    Bronnadh saoirse na cathrach air/saoirse na cathrach.

    Litir ghairdis on bPáirc/litir ghairdis.

    Bronnadh saoirse na cathrach air agus litir ghairdis ón bPáirc/litir on uachtarán.

    Bhí an Taoiseach agus Teachtaí Dála ann.

(iii) (a) Luaigh rud amháin a thóg Muiris Ó Gormáin atá luaite sa dán Daonáireamh 1911.

    Thóg sé séipéal/séipéal.

    Thóg sé ballaí/ballaí cloch.

    Bhí lámh aige i dtógáil an tséipéil agus na mballaí cloch sa cheantar.

    (b) Cén fáth a bhfuil Éireannaigh bródúil as bua Phúdailín? (An Púdal Béal Dorais)

    Fuair sé an bua ar mhadraí móra an tsaoil.

Is cúis onóra d'Éireannaigh agus is onóir leis go bhfuilimid bródúil aisti go bhfuair ár bpúdal an bua ar mhadraí móra an tsaoil.

B (Léirthuiscint)

(i) Tá díomá nó brón léirithe sa véarsa deireanach sa dá dhán. I gcás dáin amháin, déan cur síos i d'fhocail féin ar an gcaoi a gcuireann an file an díomá nó an brón os ár gcomhair.

An Púdal Béal Dorais:

- Tá brón ar an bhfile mar ní raibh aon saoirse ag an bpúdal.
- Ní raibh cead ag an madra meascadh lena chairde.
- Is créatúirín é an madra.
- Ní raibh aon chairde ag an madra.

Daonáireamh 1911:

- Ní raibh obair/poist/jabanna ag na mná.
- Bhí na mná ina sclábhaithe/gcailíní aimsire gan stádas, gan chéim, gan éirí in airde.
- Bhí na mná ar an runga ab ísle den dréimire.
- Ní raibh léamh ná scríobh ag an seanmháthair.
- Bhí a sin-seanmháthair ag obair go dian.
- Ba chainteoir Ghaeilge í seanmháthair an fhile, tá an ré sin thart anois.

(ii) I gcás ceann amháin den dá dhán, déan cur síos ar an saghas duine é an file a chum an dán, dar leat.

Is leor dhá phointe eolais a lua.

An Púdal Béal Dorais:

- Is duine grámhar é: tá grá aige d'ainmhithe. Tá trua aige don phúdal. Tuigeann sé nach bhfuil saoirse ag an madra.
- Duine bródúil: Tá sé bródúil as bua an phúdail.
- Duine greannmhar/searbhasach (*sarcastic*) ag magadh faoi úinéirí madraí. Tá a lán áibhéile (*exaggeration*) sa dán.

Daonáireamh 1911:

- Is duine é a chuireann suim sa stair. Tá díomá ar an bhfile.
- Ba chainteoir Gaeilge í sin-seanmháthair an fhile ach tá an ré sin thart anois.
- Duine í a chuireann suim san óige, caitheann sí am ag caint lena gariníon.
- Duine traidisiúnta, le suim sa chultúr. Luaigh sí stádas na mban agus na seanbhallaí cloiche.
- Duine le trua do na mná. Ní raibh obair/poist/jabanna ag na mná.

(iii) Cé acu ceann den dá dhán is fearr a thaitin leat? Luaigh dhá chúis le do fhreagra.

- Is fearr liom **an Púdal** mar is breá liom madraí/peataí/ainmhithe.
- Tá an Púdal greannmhar. Tá áibhéil sa dán: 'litir ghairdis on bPáirc'.
- Is fearr liom **Daonáireamh** mar tá suim agam sa seansaol agus sa stair agus sa chultúr.
- Léiríonn an dán an saol a bhí ag mná fadó, léiríonn an dán an t-athrú atá tagtha ar shaol na mban.
- Tá mothúcháin ghrámhara sa dán.

An Canaerí

Bhí éanadán ag Seán Ó Riain,
Is cheannaigh sé canaerí
Ó ghasúr deas a bhí na rang,
4.   Darbh ainm Tadhg Ó Laoghaire.

Bhí áthas mór ar Sheán Ó Riain
Nuair a thug sé an t-éan abhaile,
Chuir sé é san éanadán
8.   Is chroch é ar an mballa.

B'ionadh leis nár chan an t-éan,
Mar canann gach canaerí;
Níor tháinig uaidh ach 'sea, sea, sea,'
12.   Is d'ith sé síol go craosach.

Nigh an t-éan é féin ansin,
Is rith an dath go léir de;
Ní raibh san éan ach gealbhan donn -
16.   Mí-ádh ar Thadhg Ó Laoghaire!

le Seán Mac Fheorais

Gluais:

L.1: éanadán: cás éin

L.12: go craosach: go santach

L.15: gealbhan: éan beag bídeach

Cuairt

Sular mhúscail mé,
Tháinig mo ghrá chugam
I mbrionglóid chomh fíor
Leis an lá úd
I Ráth Maoláin
6. Nuair a shiúlamar an trá.

Sea, tháinig sé chugam,
Phóg sé mé go súgrach
9. 'S d'imigh.

Gach lá, a ghrá,
Fanaim
Le do athchuairt
13. I mbrionglóid.

le Colette Ní Ghallchóir

Gluais:

L.1: mhúscail: dhúisigh

L.8: go súgrach: go spórtúil

L.12: athchuairt: teacht ar ais

Ceisteanna

Ceist 3. Léigh an dá dhán thíos agus freagair **trí cinn** de na ceisteanna a ghabhann leo. **(15 mharc)**

Ní mór ceist **amháin** a roghnú as **A** agus ceist **amháin** a roghnú as **B**.

Is féidir **an tríú ceist** a roghnú as **A** *nó* **B**. Is leor **leathanach** a scríobh.

(Bíodh na freagraí i d'fhocail féin, chomh fada agus is féidir leat.)

A (Buntuiscint)

(i) (a) **Cé** a dhíol an canaerí le Seán Ó Riain sa dán *An Canaerí*?

        <u>Tadhg Ó Laoghaire</u> a dhíol an canaeirí.

    (b) Cad a tharla nuair a nigh an canaerí é féin lá amháin?

        <u>Rith an dath go léir de.</u>

(ii) (a) Cár bhuail an file lena 'grá' den chéad uair sa dán *Cuairt*?

        Bhuail sí leis <u>i Ráth Maoláin.</u>

(b) Luaigh rud amháin a rinne siad le chéile an lá sin.

Chuaigh siad <u>ag siúl</u> agus <u>phóg siad go spóirtiúil</u>. (Note use of word from *Gluais*)

(iii) (a) Cad leis a mbíonn an file ag fanacht anois sa dán *Cuairt*?

Bíonn sí ag fanacht ar a grá chun teacht ar ais.(Note use of words from *Gluais*)

(b) Mínigh a bhfuil i gceist sa líne 'Mí-ádh ar Thadhg Ó Laoghaire' (*An Canaerí* – L. 16).

Ciallaíonn an líne gur cheap Seán gur cheannaigh sé canaerí ach ba ghealbhan é. Ba mhaith le Seán go mbeadh mí-ádh ar Thadhg anois mar d'imir sé cleas ar Sheán.

B (Léirthuiscint ghinearálta)

(i) An dóigh leat go bhfuair Seán Ó Riain margadh maith sa dán *An Canaerí*? Tabhair **dhá fháth** le do fhreagra.

Is dóigh liom nach bhfuair Seán margadh maith mar:

(i) Cheannaigh sé canaerí ach níor chanaerí é ach gealbhan, agus

(ii) Bhí fadhb aige leis an ngealbhan sa bhaile mar ní raibh sé ag canadh agus rith an dath de.

(ii) Cén saghas duine í an file, dar leat, sa dán *Cuairt*? Is leor dhá phointe a lua.

(i) Is duine rómánsúil/aislingeach í mar creideann sí go dtiocfaidh a grá.

(ii) Is duine dúr/óinseach í mar ceapann sí go dtiocfaidh a grá.

(iii) Is duine dearfach (*positive*) í. Ceapann sí go mbeidh a grá ag teacht ar ais.

(iii) Luaigh **difríocht amháin** agus **cosúlacht amháin** idir an dá dhán.

Difríochtaí: Dán faoi **ghasúir**/faoi **pháistí** is ea *An Canaerí* ach is dán faoi **dhaoine fásta** (*adults*) é *Cuairt*.

Fear a scríobh an dán *An Canaerí* agus **bean** a scríobh an dán *Cuairt*.

Brón atá sa dán *An Canaerí* ach **grá** atá sa dán *Cuairt*.

Ionadh atá sa dán *An Canaerí* ach **uaigneas** atá sa dán *Cuairt*.

Aimnhí/éan atá sa dán *An Canaerí* ach **daoine** atá sa dán *Cuairt*.

key point

For differences refer to: feelings/pictures/poets/places/colours/people/animals/nature, city/country, light/dark.

Cosúlachtaí: Tá **frustrachas** sa dá dhán. Fuair Seán an t-éan mícheart, agus níl **grá** an fhile sa bhaile léi.

Bhí **áthas** ar Sheán nuair a cheannaigh sé an t-éan sa dán *An Canaerí* agus bhí **áthas** ar an bhfile ag bualadh lena grá ag tús an dáin *Cuairt*.

Guidelines

Ceisteanna eile:

Ar thaitin an dán leat?/Cé acu is fearr leat?

Useful phrases:

Thaitin an dán seo go mór liom (I really enjoyed this poem)

Is fearr liom an dán _____ mar:

(i) *Bhí sé éasca/simplí. (easy)*

(ii) *Bhí sé gearr agus dea-scríofa (short and well-written)*

(iii) *Bhí na mothúcháin/pictiúirí/na híomhánna go hiontach mar shampla… (The feelings/pictures/images were wonderful, for example…)*

(iv) **Friotal** (Language)

- Tá an rogha focal (*word choice*) go maith.
- Tá an friotal lom gonta (*unadorned and concise*) sa dán seo.
- Tá stíl (*style*) shimplí shoiléir ag an bhfile (*simple and clear*).
- Bhí tionchar mór ag an dán orm (*the poem had a great effect on me*).
- Chuaigh an dán i bhfeidhm go mór orm (*the poem really affected me*).
- Mhúscail an dán áthas/brón/trua srl. ionam (*the poem aroused happiness/sorrow/pity etc. in me*).

Téamaí

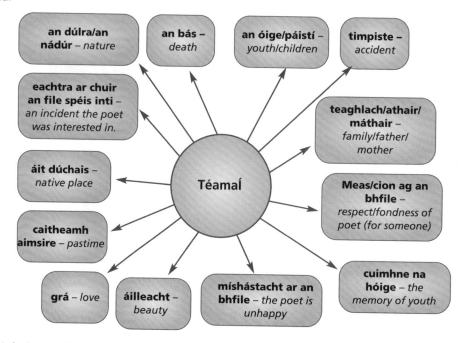

Mothúcháin – uaireanta tugtar mothúchán mar théama freisin

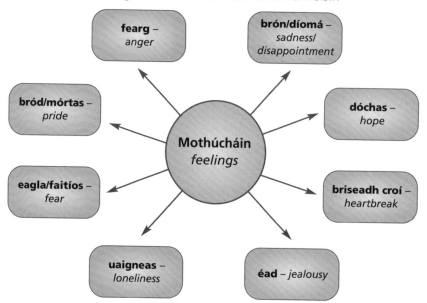

Teicnící (*techniques*)

- **codarsnacht** (*contrast*) – Déanann an file codarsnacht idir... agus...
- **cosúlacht** (*comparison/similarity*) – Tá cosúlacht idir... agus...
- **meafar** (*a metaphor*)
- **samhail** (*a simile*)
- **uaim** (*alliteration*)
- **comhfhocail** (*compound words*)

- **onamataipé** (*onomatopoeia*)— cloisimid fuaim na farraige/na gaoithe /na tráchta sna focail a úsáideann an file.
- **an fallás truamhéalach** (*the pathetic fallacy*) – nuair a bhíonn mothúcháin an fhile le brath san aimsir/sa dúlra. Emotions/feelings are reflected in weather/nature.

Ceist 4: Studied poetry

- Five studied poems are included here that feature a variety of themes/feelings.
- Study the sample answers given.

key point

This is worth 2 marks!

- Be sure you can spell the title and the poet's name.
- **8 marks** are given for Gaeilge and **5 marks** for writing on the subject. Aim to write about one A4 page as an answer. Include quotes from your poem in red pen.

- To begin, state clearly the title of poem you have selected, the poet's name and the theme/feeling selected, e.g. Dán: Reoiteog Mharfach; Ainm an fhile: Deaglán Collinge; Mothúchán: Díomá.

In 2010 a question was asked about types of people, e.g. a famous person/sad person.

Past themes/feelings

NB: those in bold are the most important

Téama/Mothúchán	2010	2009	2008	2007	2006	2005
Grá	x	x	x	x		x
Brón/díomá	x	x		x		
Fearg	x	x			x	x
Áthas/sásamh	x	x	x			x
Fonn díoltais				x		
Bród						x
Taisteal/tír eile						
Éad		x				x

Téama/Mothúchán	2010	2009	2008	2007	2006	2005
Clann/teaghlach/tuismitheoirí			x			
Saol na scoile					x	
Séasúir/aimsir					x	
Saol faoin tuath					x	
Saol na cathrach						
Dúlra/ainmhithe			x			
Spórt			x			
Óige						
Dia			x			
Uaigneas	x			x		x
Gliceas						
Greann				x		
Bás						
Trua		x				
Meas/duine cáiliúil	x				x	

Na dánta

(A) **Mac Eile ag Imeacht** – brón, féintrua, díomá, briseadh croí, tuismitheoirí, an teaghlach, páistí, imirce, poist, obair, taisteal, frustrachas, áthas, athrú, daoine óga.

(B) **An tOzón** – fearg, frustrachas, an timpeallacht, nádúr, míshástacht.

(C) **Reioteog Mharfach** – bás, timpiste, brón, díomá, briseadh croí, máthair.

(D) **Subh Milis** – cumha, brón, an teaghlach, grá athar dá pháiste, daoine óga, athair, ag fás aníos, an óige.

(E) **Faoiseamh a Gheobhadsa** – áthas, áit chónaithe, saol an oileáin, brón, uaigneas, briseadh croí, grá dá áit dúchais.

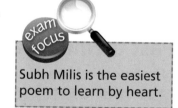

exam focus

Subh Milis is the easiest poem to learn by heart.

(A)

Mac Eile ag Imeacht

Cuirfimid chun bóthair arís inniu
Chuig aerfort Bhaile Átha Cliath.
Deireadh an tsamhraidh buailte linn
4. Mac eile ag imeacht.

Eisean féin a thiománfaidh an carr
Tús curtha ar a thuras fada.
Le mionchomhrá **treallach**, míloighciúil
8. Meillfimid an aimsir.

Staidéar ar **ríomhtheangacha**
A bheidh idir lámha aige
Béarfaidh sé ar an **bhfaill**
12. Faoi spalladh gréine i Houston, Texas.

Tar éis slán a chur leis
Agus greim láimhe againn ar a chéile
Pléifimid na buntáistí a bheidh aige thall
Nach mbeadh ar fáil sa bhaile.
Gealgháireach, fuadrach a bheidh
Na strainséirí inár dtimpeall.
Ní bhacfaimid le cupán caife
Siúlfaimid go dtí an carr go mall.
Deireadh an tsamhraidh buailte linn
22. Mac eile ag imeacht.

le Fionnuala Uí Fhlannagáin

> **key point**
> Learn the underlined quotes.

Gluais:

L.7: **go treallach**: stopping and starting
L.9: **ríomhtheangacha**: computer languages
L.11: **faill**: opportunity

Sample answer: grá

Insert the following information first:

Dán: _____

File: _____

(i) Rinne mé staidéar ar an dán comhaimseartha (*contemporary*) **Mac Eile Ag Imeacht le Fionnuala Uí Fhlannagáin. (2M) Grá sa teaghlach** atá mar théama ann.

(ii) Gan dabht tá **grá** ag na tuismitheoirí dá mac. Tá siad croíbhriste go bhfuil a mac ag fágáil. Tá na tuistí ar a mbealach go dtí an t-aerfort lena mac, a bheidh ag eitilt go Meiriceá chun staidéar a dhéanamh ar ríomhtheangacha.

'Cuirfimid chun bóthair arís inniu
Chuig aerfort Bhaile Átha Cliath.'

Táimid i lár cúlú eacnamaíochta faoi láthair agus is iomaí duine óg a théann ar imirce chun post a fháil thar lear. Níor mhaith leis na tuismitheoirí a mbrón a thaispeáint don mhac agus mar sin leanfaidh siad orthu ag caint.

'Le mionchomhrá treallach, míloighciúil
Meillfimid an aimsir.'

Gan dabht léiríonn sé sin an grá sa teaghlach. Tuigeann na tuismitheoirí go bhfuil sceitimíní áthais ar an mac agus é ar tí saol nua a thosú i Meiriceá. Tuigeann said go mbeidh seansanna níos fearr aige ansin.

'Pléifimid na buntáistí a bheidh aige thall
Nach mbeadh ar fáil sa bhaile.'

Gan dabht **tá a lán grá** ag na tuismitheoiri dá mac. Is léir go bhfuil siad in ísle bhrí agus an mac ag fágáil ach ní hé an chéad mac a d'imigh, mar dar leis an teideal tá

'Mac Eile ag Imeacht'.

Beidh an mac ag tiomáint chun taithí a fháil ar thiomáint.

'Eisean féin a thiománfaidh an carr'

Feictear **an grá láidir** atá acu dá mac arís ag deireadh an dáin nuair a fheictear an brón mór atá orthu agus iad ag fágáil an aerfoirt. Níl siad ábalta fiú cupán caife a ól. Níl siad ábalta labhairt.

'Ní bhacfaimid le cupán caife
Siúlfaimid go dtí an carr go mall.'

Tugann siad tacaíocht dá chéile. Feictear **grá** idir na tuismitheoirí

'Agus greim láimhe againn ar a chéile.'

Gan dabht tá a lán grá le feiceáil sa dán seo, grá sa teaghlach idir na tuistí agus idir na tuistí agus a mac.

Faraor tá sé in am dóibh glacadh leis an bhfírinne searbh go bhfuil

'**Deireadh an tsamhraidh buailte linn
Mac eile ag imeacht**.'

(B)

An tÓzón

Mise an t-ózón
Anseo i lár na spéire
Rinne Dia fadó mé
Chun tusa a shaoradh
Ó iomarca gréine
Agus nithe gránna eile.

Táim ag rá leat
Aire a thabhairt
Dod chomharsanacht
Don domhan
Mar conaíonn tú ann
Agus tá sé ag brath ort.

Ná loit rud ar bith
Nár chruthaigh tú
Glac mo chomhairle
Agus mairfidh tú
Mairfimid uile
Mar a ceapadh dúinn.

le Máire Áine Nic Ghearailt

Sample answer: fearg

Insert the following information first:

Dán: _____

File: _____

(i) Rinne mé staidéar ar an dán **An tÓzón** le **Máire Áine Nic Ghearailt**. Dán **feargach** é seo agus léirítear **mothúcháin láidre** ann gan dabht. Is léir go bhfuil an téama **fearg** le feiceáil sa **dán seo den scoth**.

(ii) Feictear go bhfuil **fearg** ar an ózón mar nílimid – an cine dhaonna – ag tabhairt aire don timpeallacht. Deir an t-ózón linn cén fáth go bhfuil sé ann:

> 'Rinne Dia fadó mé
> Chun tusa a shaoradh
> Ó iomarca gréine
> Agus nithe gránna eile'

Chun na daoine agus an domhan a chosaint ó rudaí ghránna, ailse, mar shampla.

Tá an timpeallacht á scriosadh againn gach lá. Tugann an t-ózón rabhadh (warning) dúinn.

> 'Táim ag rá leat
> Aire a thabhairt
> Dod' chomharsanacht
> Don domhan'

Chomh maith leis sin tá **an fhearg** soiléir sna horduithe a thugann an t-ózón do na daoine.

> 'Ná loit rud ar bith
> Nár chruthaigh tú
> Glac mo chomhairle
> Agus mairfidh tú
> Mairfimid uile
> Mar a ceapadh dúinn.'

Gan dabht tá fearg mhór sa dán, An tÓzón.

(C)

Reoiteog Mharfach

Ceann críonna choíche
Ní bheidh ar do cholainn óg;
Ó sháraigh dúil do chiall
Is le reiteog i do ghlac
'Sea chuaigh tú de ruathar
Ó chúl an veain amach
Faoi rothaí cairr i mbarr a luais,
Gur thit mar bhabóg éadaigh
I do phleist i lár an chosáin.
Is tú do do chur ar shínteán
San otharcharr isteach,
B'arraing ionam géarscreadaíl
Do mháthar, bán i do dhiaidh –
Báine a mhair i mo chuimhne
De d'aghaidh bheag
De leircín do reiteoige
De do chónra bheag sa dúpholl.

                le Deaglán Collinge

Sample answer

Insert the following information first:

Dán: _____

File: _____

(i) Rinne mé staidéar ar an dán **Reoiteog Mharfach le Deaglan Collinge. Dán fíorbhrónach** atá ann ina ndéantar cur síos ar **eachtra uafásach**. Is léir go bhfuil an téama **brón/díomá/briseadh croí/bás** sa dán **tragóideach** seo.

(ii) Tuigeann an mháthair nach bhfeicfidh sí a mhac ag fás aníos:

> **'Ceann críonna choíche
> Ní bheidh ar do cholainn óg'**

> Fuair an buachaill bocht bás go tragóideach sa dán brónach seo. Rith sé amach ar an mbóthar nuair a chuala sé an veain uachtar reoite,

'Ó sháraigh dúil do chiall
Is le reiteog i do ghlac'

Bhí carr ag teacht síos an bóthar ag tiomáint ar luas lasrach.

'Faoi rothaí cairr i mbarr a luais'

Tá an mháthair fágtha croíbhriste ina dhiaidh. Tá sí i ndeireadh na feide.

Cuireadh fios ar na seirbhísí éigeandála ach bhí sé ródhéanach. Bhí an leaid óg marbh. Bhí an mháthair ag screadaíl. Bhí dath an bháis uirthi...

'Is tú do do chur ar shinteán
San otharcharr isteach
B'arraing ionam géarscreadaíl
Do mháthar, bán i do dhiaidh'

Ag deireadh an dáin tá pictiúr sceirdiúil (bleak) den chónra bheag agus den uachtar reoite ina phraiseach ar thaobh an bhóthair.

'De leircín do reiteoige
De do chónra bheag sa dúpholl.'

Gan dabht, tá téama an bháis soiléir sa dán sceirdiúil seo.

(D)

Subh Milis

Bhí subh milis
Ar bhaschrann an dorais
Ach mhúch mé an corraí
Ionam a d'éirigh
Mar smaoinigh mé
Ar an lá
A bheas an bascrann glan
Agus an lámh bheag ar iarraidh.

le Séamus Ó Néill

Sample answer 1: fearg

Insert the following information first:

Dán: _____

File: _____

(i)   Rinne me staidéar ar **an dán simplí, Subh Milis, le Séamus Ó Néill**. Dán **maoithneach** (*sentimental*) é seo **lán de chumha** (*nostalgia* – ag smaoineamh siar ar eachtraí sona)

(ii) Feictear beagán den **fhearg** sa dán seo ag tús an dáin nuair a chonaic an file (an t-athair) subh milis ar bhaschrann an dorais:

'**Bhí subh milis ar bhaschrann an doras.**'

Gan dabht bhí an file **ar buile**, duirt sé féin gur éirigh '**corraí**' (fearg) ann:

'**Ach mhúch mé an corraí**'

Bhí sé **feargach** mar bhí air an doras a ghlanadh.

Ach roimh dheireadh an dáin d'imigh an corraí mar thosaigh an file ag smaoineamh faoin todhchaí (*future*) nuair a bheadh lámha a mhic glan:

Beidh '**an baschrann glan**'

Beidh an páiste fásta aníos (*grown up*) agus imithe as an teach. Beidh an

'**lámh bheag ar iarraidh**'

Cinnte tá beagán den fhearg sa dán seo.

Sample answer 2: Cuimhní na hóige

Cuimhní na hóige/páistí/an óige/daoine óga: memories/youth

(ii) Feictear **páiste an fhile** sa dán seo agus eachtra a tharla sa teach.

Déanann **daoine óga** rudaí an t-am ar fad a chuireann isteach ar a dtuismitheoirí, tá sé sin nádurtha!

Léirigh an dán seo eachtra nuair a chuir **an páiste**

'**subh milis ar bhaschrann an dorais**'

lá amháin.

Cinnte bhí **an t-athair crosta leis an bpáiste** ar dtús. Ach ansin d'imigh an fhearg nuair a smaoinigh sé ar an lá nuair a bheadh **an páiste** imithe:

'**mar smaoinigh mé ar an lá**
a bheas an baschrann glan'

Bheadh sé fásta agus imithe as an teach b'fhéidir. Ní bheadh lámh bheag air níos mó:

'**an lámh bheag ar iarraidh**'

Freagra samplach 3: grá idir tuismitheoir agus páiste

Insert the following information first:

Dán: _____

File: _____

Cinnte rinne an file S. Ó Néill cur síos iontach ar an ngaol idir **athair agus páiste** agus an grá a bhí aige dá mhac.

Tháinig an file abhaile lá amháin agus chonaic sé subh milis ar bhascrann an dorais. Tháinig fearg air ach ní raibh sé crosta i bhfad mar smaoinigh sé ar an lá sa todhchaí nuair a bheadh an **mac** fásta suas agus imithe amach sa saol mór. Smaoinigh an t-athair go mbíonn an óige gearr. 'Mar smaoinigh...'

Léirigh an file an méid **grá** a bhí aige dá mhac. Thuig sé go mbíonn an óige gearr. Is cuma faoin teach a bheith glan nó salach. Ní bheidh an mac ina pháiste ach ar feadh tamall gearr.

key point

Replace the key theme/ feeling with the theme/ feeling mentioned in the exam question.

(E)

Faoiseamh a Gheobhadsa

Faoiseamh a gheobhadsa
Seal beag gairid
I measc mo dhaoine
Ar oileán mara,
Ag siúl cois cladaigh
Maidin is tráthnóna
Ó Luan go Satharn
Thiar ag baile.

Faoiseamh a gheobhadsa
Seal beag gairid
I measc mo dhaoine
Ó chrá chroí,
Ó bhuairt aigne,
Ó uaigneas dhuairc,
Ó chaint ghontach,
Thiar ag baile.

le Máirtín O Direáin

Achoimre (Summary)

Rugadh an file ar **Inis Mór sna hOileáin Arann**.

Véarsa a haon (an saol ar an oileán)

Is breá leis an **saol ar an oileán**, faigheann an file **faoiseamh ar an oileán**. **Tá grá aige dá áit dúchais.**

Tá a fhios agam mar:

- Chuaigh sé **ag siúl in aice na farraige** gach lá

  'Ag siúl cois cladaigh
  Maidin is tráthnóna
  Ó Luan go Satharn
  Thiar ag baile'.

- Is aoibhinn leis **na daoine ar an oileán**.

  'I measc mo dhaoine'

- Ní raibh post dó ar an oileán.
- **Bhí air** dul go dtí **an chathair** ag obair.
- Níor thaitin an chathair leis.

  'Ó bhuairt aigne,
  Ó uaigneas dhuairc,
  Ó chaint ghontach'

- Ní raibh **clann ná cairde** ag an bhfile sa chathair.
- Bhí a chairde **siar sa bhaile** ina áit dúchais.

Véarsa a dó (an saol sa chathair)

- Tá véarsa a dó difriúil. Feictear pictiúr den **saol sa chathair**.
- Is fuath leis an bhfile an chathair (Baile Atha Cliath).
- Bhí sé croíbhriste

  'ó chrá chroí'.

- Bhí sé **ag fulaingt**. Bhí a lán **brú** air sa chathair. Bhí a **lán trioblóide ina cheann**. Ní raibh aon chairde aige. Bhí **uaigneas air**

  'Ó bhuairt aigne'.

- **Ní raibh** na daoine sa chathair **cairdiúil** leis.

  'Ó uaigneas dhuairc,
  Ó chaint ghontach'

- **Ba mhaith leis** an bhfile **dul abhaile** go hInis Mór.
- Gheobhaidh sé **faoiseamh ann: síocháin agus sos** ar an oileán

  'Faoiseamh a gheobhadsa'.

- **Tá codarsnacht** sa dán idir:

  Suaimhneas, faoiseamh, síocháin, cairde, clann, áthas, ar an oileán

  agus

  Briseadh croí, an trácht, dubh le daoine, saol gnóthach, fear uaigneach, brónach sa chathair

Sample introduction

Dán: Faoiseamh a Gheobhadsa

File: Máirtín Ó Direáin

(i) Rinne me staidéar ar **an dán simplí, Faoiseamh a Gheobhadsa**, le Máirtín Ó Direáin. Dán **maoithneach** *(sentimental)* é seo **lán de chumha** *(nostalgia* – ag smaoineamh siar ar eachtraí sona). Tá **grá ag an bhfile dá áit dúchais**, Inis Mór.

Complete the sample answer using the notes given above.

6 Litir & Freagraí 12.5%

aims You will learn:
- The layout of this section.
- Useful tips and sample exams to help you achieve maximum marks in this section.
- The layout of a personal and a formal letter.
- Check your solutions to previous exercises.

Exam layout

This section is called **Roinn III** on Paper Two, Ceist 5.

There are three letters, you must complete one.

Two of the letters are usually to a friend and the other is a formal letter.

Marcanna

- **30 marks** for this section
- 17 marks for points asked/Gaeilge
- 3 marks for (A), (B), (C) in letter below
- 10 marks for subject/ábhar

exam TIPS

(i) Learn an address, an opening paragraph and a closing paragraph by heart (see pages 140–143). Choose an easy address in another part of the country.

(ii) Be sure to answer all points in the correct tense.

(iii) Be familiar with key terms in points asked.

(iv) Use all the vocabulary from the Cluastuiscint chapter and tips given in the aiste section on pages 59–63.

(v) Your letter should be one A4 page in length.

(vi) A list of all past letters is given on page 2 in the Introduction.

Layout of letters

	(A) Address
	(B) Date
(C) Hello	
(D) Opening phrases	
(E) Points	
(F) Ending	
(G) Goodbye	

(A) Address **at home**:

5 Bóthar Buí,

Gort na gCapall,

Baile Mór,

Co. Chiarraí

Sa Ghaeltacht:

Tigh Uí Néill

Radharc na Mara

Inis Mór

Oileán Árann

Co. na Gaillimhe

Or

Coláiste Lurgan

Indreabhán

Co na Gaillimhe

Address **on holidays/tour**:

Óstán na Mara

Cois Farraige

Malaga

An Spáinn

(B) Use date on front of your exam paper, e.g. an seachtú lá Meitheamh 2012.

(C) A Úna/a Liam, a chara – *Dear Úna/Liam*

Opening and sign-off phrases

(C)

Conas atá tú/sibh?	How are you/you(plural)?
Tá súil agam go bhfuil tú/sibh i mbarr na sláinte.	I hope you/you(plural) are well.
Is fada ó chuala mé uait.	I haven't heard from you in ages.
Tá brón orm nár scríobh mé níos luaithe.	Sorry I haven't written sooner.
Bhí mé an-ghnóthach.	I was very busy.
Bhí áthas an domhain orm do litir a fháil.	I was very happy to get your letter.
Go raibh míle maith agat as an litir álainn a scríobh tú chugam.	Thanks a million for the lovely letter you wrote to me.
Tá a lán nuachta agam, fan go gcloisfidh tú!	I've lots of news, wait till you hear!
Bhí áthas orm an dea-scéal a chloisteáil.	I was happy to hear the good news.
Bhí díomá orm an drochscéal a chloisteáil.	I was sorry to hear the bad news.

(F)

Sin é mo scéal.	That's all my news.
Beidh mé ag tnúth le litir uait.	I'm looking forward to a letter from you.
Abair leis an teaghlach go raibh mé ag cur a dtuairisce.	Tell the family that I was asking for them.
Caithfidh mé slán a rá anois mar tá obair bhaile le déanamh agam.	I have to say goodbye now because I've homework to do.

(G)

Slán go fóill.	Bye for now.
Do chara buan.	Your good friend.
Le grá mór.	Lots of love.

Sample informal letter and vocabulary

(A) Óstán na Mara,
Marbella,
An Spáinn.
(B) 14ú Lúnasa

(C) A Liam, a chara,

(D) Bhuel, creid é nó ná creid é, táim ag obair anseo in Óstán na Mara i Marbella na Spáinne don samhradh. Is **óstán mór galánta** é in aice na farraige agus tá sé gnóthach ó mhaidin go hoíche. Tá daoine ag teacht agus ag imeacht an t-am ar fad.

(E) Tá m'aintín Orla ag obair anseo le blianta agus fuair sí an post dom. Nach raibh an t-ádh liom? Bíonn orm éirí an-luath ar maidin chun **cabhrú leo sa chistin ag ullmhú an bhricfeasta**. Ní chreidfeá an méid bia a itear anseo gan trácht ar an méid bruscair a fhágtar ar na boird agus ar an urlár. Ar ndóigh, bíonn orm **na boird a ghlanadh** i ndiaidh na mbéilí go léir agus **na boird a leagan** don chéad bhéile eile. Chomh maith leis sin bím **ag freastal ar na custaiméirí**. Gan dabht bím ag obair go dian gach lá ach **tagann a lán daoine cáiliúla isteach** anseo. Cúpla lá ó shin tháinig Johnny Sexton isteach lena bhean. Bhí gach duine ag iarraidh radharc a fháil air agus d'fhan sé linn don deireadh seachtaine ar fad. Cheap mé gur fear an-suimiúil agus dathúil a bhí ann!

Faighim ocht euro san uair mar phá agus tá grúpa cailíní agus buachaillí óga eile anseo ag obair don samhradh, mar sin bíonn an chraic go maith. Tá cailín eile ó Chiarraí anseo. Deirdre is ainm di. Tá sí sa seomra leapa céanna liom agus **táimid an-mhór le chéile anois**. Ar ár lá saor ar an Aoine caithimid an lá ag sú na gréine agus **ag imirt eitpheile ar na tránna áille** anseo i Marbella. Téann na daoine óga eile amach chuig na dioscónna agus na clubanna oíche ach níl mé féin agus Deirdre sean go leor le dul amach leo i mbliana.

(F) Ar aon chaoi, conas tá gach duine sa bhaile? An bhfuil Sorcha fós ag siúl amach le Pól? Conas tá do chailín? Abair haigh léi uaimse. Tá mé ag súil le **dul abhaile ag deireadh an tsamhraidh** agus beidh lá nó dhó againn roimh dhul ar ais ar scoil don chúigiú bliain. An bhfuil post agat? An raibh tú sa Ghaeltacht go fóill? Má bhíonn an t-am agat ba bhreá liom litir a fháil uait leis an nuacht go léir ón mbaile. Abair le do thuistí go raibh mé ag cur a dtuairisce.

(G) Slán go fóill,
Do chara,
Áine

Foclóir tábhachtach

óstán mór galánta	*posh hotel*
cabhrú leo sa chistin ag ullmhú an bhricfeasta	*helping them to prepare breakfast in the kitchen*
na boird a ghlanadh	*to clean the tables*
na boird a leagan	*to set the tables*
ag freastal ar na custaiméirí	*waiting on customers*
tagann a lán daoine cáiliúla isteach	*many famous people come in*
faighim ocht euro san uair	*I get eight euro per hour*
táimid an-mhór le chéile anois	*we're great friends now*
ag imirt eitpheile ar na tránna áille	*playing volleyball on the lovely beaches*
dul abhaile ag deireadh an tsamhraidh	*going home at end of summer*

Foclóir eile: post samhraidh

Ag obair i dteach tábhairne:

Ag bailiú na ngloiní (*collecting glasses*)

Ag scuabadh an urláir

Ag caint leis na custaiméirí

Ag díol piontaí agus deochanna (*selling pints & drinks*)

Ag obair i siopa/ollmhargadh:

Ag cur bia/earraí(products) ar na seilfeanna

Ag glanadh an tsiopa

Ag cabhrú leis na custaiméirí

Ag tógáil airgid

An samhradh/post samhraidh

Be sure your address is from abroad. → Tá tú ar do laethanta saoire **thar lear**. Scríobh litir chuig do chara ag insint dó/di faoin tír na bhfuil tú. I do litir luaigh:

- Dhá phointe eolais i dtaobh na tíre ina bhfuil tú.
- Dhá phointe eolais i dtaobh na rudaí atá déanta agat ó shroich tú an tír sin.
- Pointe amháin eile faoi rud éigin nár thaitin leat faoin tír ina bhfuil tú.

2010

Phrases for letter from abroad

Tá an tírdhreach dochreidte – *The landscape is unbelievable.*

Táim sa Spáinn/sa Fhrainc/sa Ghréig – *I'm in Spain/France/Greece.*

Tá an ceantar an-ghnóthach, tá sé dubh le daoine – *The area is very busy, there is a huge crowd.*

Chaitheamar lá ag siopadóireacht san ionad siopadóireachta i lár na cathrach. – *We spent a day shopping in the shopping centre in the city centre.*

Thugamar cuairt ar na suíomhanna suimiúla. – *We visited the tourist attractions.*

Chuamar ag fámaireacht – *We went sightseeing.*

Thugamar cuairt ar: – *We visited:* mhúsaem/ar chaisleán/ar thúr Eiffel/ar ardeaglais (*cathedral*)/ar staid sacair (*soccer stadium*).

Páirc spraoi (*amusement park/funfair*) páirc uisce (*waterpark*)

Rudaí a thaitníonn liom: things I like

An aimsir

Na daoine cairdiúla fáiltiúla

Ag labhairt Fraincise/Spáinnise

Na buachaillí/cailíní dathúla (Pierre!)

An bia atá difriúil ach an-bhlasta.

Rudaí nach dtaitníonn liom: things I don't like

Tá sé ró-the, táim griandóite, chomh dearg le tráta (*I'm sunburnt, as red as a tomato*)

Tá na daoine míchairdiúil, ní bhíonn siad ag caint liom.

Ni thuigim an teanga (*I don't understand the language*).

Níl focal Fraincise/Spáinnise/Gréigise agam.

Tá an t-óstán míchompordach, níl a lán spáis ann agus bíonn an seomra leapa ró-the.

Tá an bia lofa (*rotten*). Bhí nimhiú bia (*food poisoning*) orm inné, bhí mé ag cur amach.

Tá na seomraí san óstán brocach (*filthy*). Tá sé chomh salach leis an tSráid Mhór oíche Shathairn (*as dirty as Main St. on Saturday night*).

Try to compose this letter yourself using the vocabulary given below. Also see page 90 in Chapter 3 (**Turas scoile**).

Foclóir

An aimsir, an ghrian ag scoilteadh na gcloch, bím ag sú na gréine gach lá (*soaking up the sun*)

Chomh te le hoigheann: *as hot as an oven*

Ag fáil bháis leis an teas: *dying in the heat*

Teocht an-ard: *high temperature*

Óstán galánta cúig réalta: *Splendid five star hotel*

Bia blasta, cosa froga (*frogs' legs*), seilidí (*snails*)

Daoine cairdiúla agus fáiltiúla: *Friendly, welcoming people*

Dioscó do dhéagóirí, thit mé i ngrá le Pierre.

Sample business/ formal letter

Scríobh litir chuig eagarthóir nuachtáin ag gearán faoi **fhadhbanna sóisialta** i do cheantar...

5 Bóthar Buí

Co. Chill Dara

Address of sender

15ú Deireadh Fómhair

An tEagarthóir

Foinse

Indreabhán

Co. na Gaillimhe

Address of recipient

A Eagarthóir, a chara/A dhuine uasail,

Is mise Eilís Ní Riain. Táim cúig bliana deag d'aois. Is dalta scoile mé. Táim sa tríú bliain i gColaiste Dhroichead Nua. Táim ag scríobh chugat maidir le fadhb i mo cheantar. Tá a lán fadhbanna i mo cheantar agus seo í an ceann is measa.

Gan dabht is í fadhb an alcóil an fhadhb atá i gceist agam. Tá níos mó daoine óga ag ól alcóil gach bliain. Feictear a lán déagóirí ag ól cannaí agus buidéal beorach timpeall an bhaile. Níl sé sin go maith. Bíonn siad ar meisce agus cuireann siad isteach ar dhaoine eile.

Caitheann na daoine óga a mbruscar timpeall freisin. Tarlaíonn sé seo ag an deireadh seachtaine, taobh amuigh den siopa sceallóg. Cuireann sé sin déistin orm (*disgusts me*). Tá a fhios agam go bhfuil na gardaí ag iarraidh a lán fadhbanna a réiteach (*to solve*).

Mar shampla thug na gardaí rabhadh (*warning*) do na daoine óga sin. Ní thuigeann na daoine óga an damáiste a dhéanann an t-alcól don tsláinte.

Bíonn siad ag titim timpeall na háite agus ag cur amach. Is drochshampla é sin do pháistí óga.

Mar a deir an seanfhocal 'Nuair a bhíonn an t-ól istigh bíonn an chiall amuigh' (*when drink comes in, sense goes out*).

Is minic a scriostar rudaí nuair a bhíonn daoine ólta. Mar shampla troideann daoine le chéile agus leanann fadhbanna eile é sin (*other problems follow*). Níl sé sin inghlactha (*acceptable*).

Mholfainn (*I'd recommend*) níos mó gardaí a chur ar na sráideanna. Caithfidh na polaiteoirí (*politicians*) aghaidh a thabhairt ar an bhfadhb seo freisin.

Tá súil agam go bhfoilseoidh tú mo litir i do nuachtán.

Scríobh chugam de réir mar is áisiúil duit. Go raibh maith agat as ucht do chuid ama.

Is mise le meas/Beir bua agus beannacht

Eilís Ní Riain